かもめ食堂

群ようこ

幻冬舎文庫

かもめ食堂

挿画　牧野伊三夫

「かもめ食堂」はヘルシンキの街なかにひっそりとある。大きな看板も出しておらず、ドアのところに「かもめ食堂」という日本語と、フィン語で「ruokala lokki」と小さく書いてあるので、それとわかるようになっている。以前、ここは地元の太った名物おばさんが経営している食堂だった。彼女が急死してから、半年以上、店は閉められたままになっていて、周囲の人々はいったいどうなるのだろうかと気にしていた。そしてある日、店の中を片づけていると思ったら、しばらくして東洋人の女の子がいつも一人でいるようになった。近所のおじさん、おばさんは興味津々だった。

「『かもめ食堂』って書いてあったけど、行ってみた？」

「窓から中をのぞいたら、子供がいたんだ。女の子だ。他に誰かいるのかと見ていたんだけど、誰もいない」

「たまたま親がいなかったんじゃないの」

「いや、いつ見ても一人なんだ」

「おばさんの親戚かしら？」

「そんなはずはないわ。ほら、あの太った息子二人しか子供はいないはずよ」

「それはそうねえ」

「子供一人で置いておくなんて。さすがに東洋人は子供でもよく働くわね」

「もしかしたら無理矢理に働かされているんじゃないかな」

「それにしてはあの女の子、いつも元気で楽しそうよ。聞いたことがない曲だけど、鼻歌なんか歌ったりして。でもそういえば店の大人の姿は見たことないわ」

「朝から晩まで店にいるし、学校にも行ってないみたいだよ」

「児童虐待じゃないだろうね。元気に楽しくするしかないって、あきらめているんじゃないだろうね」

まじめに心配する人も出てきた。謎の「かもめ食堂」はおおっぴらではなく、ひっそりと周辺の噂になっていた。が、誰一人、「謎の東洋人の女の子」であるサチエをつかまえて、

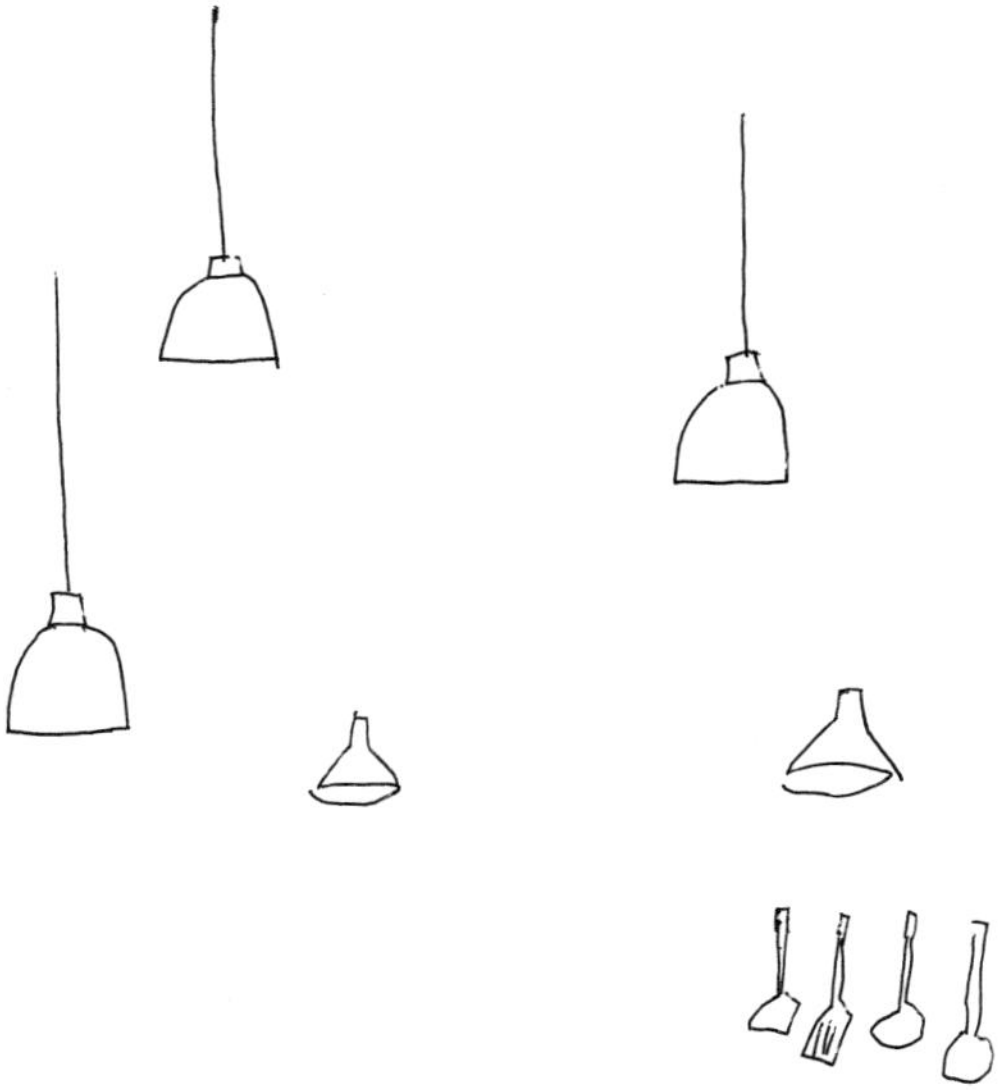

「あなたはどうしてここにいるの？　どこから来たの？」

　と聞く人はいなかった。みな関心を持ち、おかしいなあと思いつつも、遠巻きにして静かに眺めるだけである。フィンランド人は、見知らぬ人にはフレンドリーではない。多くは人見知りだ。店の前を行ったり来たりして中をのぞき、偵察隊と化してみんなに結果を報告する。

「店は開いていたけど、客は入っていなかった。店にいるのは今日もあの子供だけだよ。あの子が注文をとって料理を作るみたい。フライパンや鍋を持ってきて、それをじっと眺めたりしていたもの。でもちゃんとした料理が作れるのかしら。あれは『かもめ食堂』じゃなくて『こども食堂』だわ」

　サチエの知らないところで、周囲の人々からは「こども食堂」と呼ばれていた。

　サチエはいつも一人で、客が来ない店の中で日がな一日、グラスを麻のクロスで拭いたり、掃除をしていた。日本人がオーナーでありながら、扇子やら日本人形やら富士山の写真など、日本を象徴する飾り物が一切ないので、外からはどんな店かはとてもわかりにくい。外国でわざわざ日本をアピールするのは、ものすごく野暮《やぼ》ったいとサチエは考えていた。さりげなく地元にすっととけ込んだ、お店をやりたかった。どこの国の人間だっていいじゃないか。だから他の国で、日本人を必要以上にアピールするのは、サチエにとってはものすごくださいことだったのである。

いくら暇でもじっとしていられない性格のサチエは、何か仕事を見つけては体を動かしていた。棚の食器を並べ替えたり、床のしみをていねいにこすり取ったり、そんなことをして一日を過ごしていた。作業をしながら、ふと人の気配を感じて窓のほうに目をやると、不思議そうに外から中を見ている人々と目が合う。目が合って、入ってきてくれるのかなあと期待すると、相手はそのままふっと通り過ぎてしまう。誰もドアを開けて入ってこようとしない。駅のそばでチラシを配ったり、新聞や観光客相手のガイドブックに広告を出せば、まだ気付いてもらえたかもしれない。でもそれは嫌だった。気付いてもらえる人に気付いてもらえればいい。大げさな宣伝や広告を打つのは、サチエの性分には合わなかった。客数ゼロの日が延々と続き、それでもサチエはここヘルシンキで自分の店を持てたことがうれしく、嬉々として体を動かしていた。しかし店内はどんどんきれいになっていく一方で、売り上げは全く変化がなく、ゼロのままだった。

サチエは三十八歳になったばかりだ。地元のフィンランド人に「子供」といわれていたのは、小柄でかわいらしい顔立ちのせいである。彼女の父は古武道《こぶどう》の達人で、幼いころから自分の道場に一人娘のサチエを連れていき、熱心に指導した。そこには世界各国から、武道を習得しようという、白い人、黒い人、黄色い人たちが集《つど》っていた。道場の壁には、

「人生すべて修行」

という父の筆による書が掲げてあり、これは父の口癖でもあった。運動神経のいいサチエは、敏捷《びんしょう》な身のこなしで、みんなに一目置かれていた。とにかく技の形《かた》をすぐ覚え、これが男の子だったら、ものすごい技の使い手になるだろうといわれていた。しかし当のサチエにとって武道は、好きだけれど趣味のようなものにすぎなかった。というよりも、父がサチエの才能を見抜き、より高度な技を求め始めたので、このままでは抜き差しならぬ状態になると、小学校の高学年のときに不安に陥ったのである。このまま武道ばかりやっているのは嫌だ。それでも父の指導は熱心になり、周囲も、がんばれ、がんばれという。そういわれればがんばって、子供武道大会で優勝したりしたものの、いつもこのままでいいのかなとそればかりを考えていた。頃合いを見計らって、そろりそろりと父の顔色を窺《うかが》いながら、武道から距離を置こうとしたとき、

サチエの母親が買い物帰りにトラックにはねられて亡くなった。サチエが十二歳のときだった。このときも父がいったのは、

「人生すべて修行」

だった。葬式でも父は涙を見せず、サチエにも、

「人前では泣くな」

といい渡した。陰ではたくさん泣いたが、いわれた通り、人前で泣き顔を見せた覚えはない。母の死をきっかけに、サチエはこれまで武道に割いていた時間を、母がやってくれていた家事に費やすようになった。学校に行く前に父と自分の弁当を作り、学校から帰ると晩御飯の支度をする。それまでは父親にばっかりくっついていたものだから、家事はみんな母親まかせだったのが、自分がやってみると、それなりに面白かった。

　活発なサチエが、中学校に入学早々、学校のフェンスに向かって跳び蹴りをくらわすところを、クラスメートに見せたのはいいが、制服のスカートをひっかけて、破いてしまったことがあった。その直前に、父は武道大会で優勝して賞金をもらっていたし、お母さんも死んだし、新しいスカートを買ってくれるかなあと期待していたが、

「だめ」

のひと言で片づけられてしまった。学校の家庭科の先生に、つぎの当て方を教えてもらいながら、自分でやってみたが、はじめてだったのでうまくいかず、一目で、

「ここにつぎが当たっています」

とアピールしているスカートになってしまった。自分の不注意とはいえ、若い娘にとっては辛いスカートを穿いて登校し続けなくてはならなかった。しかしその心中を父に見透かされ、

「物を大切にして何が恥ずかしいものか。堂々としていろ。人生すべて修行だ」

といわれた。サチエもそのうち慣れてしまい、つぎのことは何とも思わなくなったが、話を聞いた同級生のお母さんが気の毒がって、その子のお姉さんが穿いていたスカートをくれた。サチエのサイズよりも、二段階くらい大きかったが、それをウエスト位置で黒の太いゴムひもで縛り、ずっと穿いていた。

裁縫はこの程度だったが、料理はどんどん上手になった。料理上手の母親が料理ノートを残してくれていて、それを見ながらアレンジして、煮物、焼き物はもちろんのこと、和菓子まで作った。サチエが道場に来なくなったので、最初はぶつぶつ文句を

いっていた父親も、妻亡き後、熱心に家事をしてくれる娘に対して、そのうち何もいわなくなった。

遠足の日、お弁当を作らなければと起きたサチエは、台所で物音がしているのに気がついた。どうしたのかと行ってみると、ふだんは瓦を割ってみせたり、弟子たちを投げている父が、その手でおにぎりを作っていた。

「お父さん」

声をかけると、彼はびっくりしたように振り返り、

「いつも自分で作って自分で食べているんだろう。おにぎりは人に作ってもらったものを食べるのがいちばんうまいんだ」

大きな鮭、昆布、おかかのおにぎりを見せた。他には卵焼きも鶏の唐揚げも何もない。サチエはそれを遠足に持っていって食べた。他の子はお母さんが作ってくれた、華やかな色合いのお弁当だったが、父が作ってくれたシンプルなおにぎりは、不格好だったけれども、サチエにとってはとてもおいしかった。それから父は、中学校の三年間、遠足と運動会の日のお弁当だけは作ってくれたが、それはいつもおにぎりだった。

高校は食物科がある女子大の付属に通った。その一方で、大学を卒業するまで、料理教室にも積極的に行った。フレンチ、イタリアン、和食、エスニックと興味があるものは、片っ端から行ってみた。父は、

「行きたいのならしょうがない」

と月謝を出してくれた。どの料理もそれなりにおいしかったが、やっぱり頭の隅にあるのは、亡き母が作ってくれた家庭料理であったり、父が作ってくれたおにぎりだった。皿の上に絵を描くように、料理を盛りつけるのも、美しいとは思うけれども、どこか自分が持っている感覚とは違っていた。野菜の煮物を、

「臭くてださい」

といい、あの店のイタリアンはいい、フレンチはこの店だといっているクラスメートにも違和感を覚えていた。

「ああいうのもいいけど、本当に人が食べる毎日の食事って違う」

それがサチエのテーマになった。母が漬けていた糠味噌《ぬかみそ》漬けもひきついだはいいが、どんどん味が悪くなっていって、あせった時期もあった。それでも試行錯誤して糠床《ぬかどこ》に昆布を足したり、ときには魚の頭もいれたりして、何とか元に戻した。

「私、おいしい御飯とお新香《しんこ》とお味噌汁があれば、何もいらないな」

　と学校でいったら、

「おばあさんみたい」

　と笑われた。サチエにとっての究極の食事はこれだった。研究がてら、いろいろな店で食事をしても、素材を油や調味料でごまかしているものが多くて、サチエにとって濃い味付けが多かったが、クラスメートはそういう味の濃いものを、おいしいと喜んで食べていた。みんな薄味よりも濃い味のほうがずっと好きで、食物科に通っていながら、自分の食事はいつもカップ麺という子さえいた。

「華やかな盛りつけじゃなくていい。素朴でいいから、ちゃんとした食事を食べてもらえるような店を作りたい」

　勉強をしていくうちに、だんだんサチエの夢はふくらんでいった。そう友だちに話すと、

「あら、居酒屋でもやるの」

　とか、

「ああ、自然食レストランみたいな」

などといわれ、自分のイメージが理解されない。

「流行《はや》ってるよね、そういうコンセプト」

などといわれて、どういう意味だよと、いいたくなったこともある。お金を貯めて雑誌に紹介されている有名なレストランで食事をしても、

「この値段でこれか」

とあきれかえるような店も多かった。だいたい店の応対する人間がなっていなかった。自分も若輩《じゃくはい》だが、人としてそれはまずいだろうといいたくなるような、客に対して慇懃《いんぎん》無礼《ぶれい》な人間も多かった。心の底では馬鹿にされているのに、表面的なおべんちゃらだけで、喜んでいる客も情けない。

自分が店をやったら、絶対に客にはそういわせない。大学を卒業するころには半分意地になっていたが、学生では先立つものもなく、父にもその話はしていなかった。大手の食品会社に就職して、サチエが配属されたのは、弁当開発部だった。弁当も同じメニューだとすぐに飽きられるので、毎年、春夏秋冬、謳《うた》い文句をつけて販売するのである。サチエがいちばん苦手とする、味付けの濃いおかずの類《たぐい》の開発は、なかなか辛いものがあった。目新しいもの、目新しいものといわれるので、わけのわからな

い取り合わせのサラダとか、エスニックの調味料を駆使した箸休めとか、弁当の中は世界の料理大集合になっていった。それでもサチエは、店の開店のため、お金を貯めるためと、ずっと我慢していた。まさに、

「人生すべて修行」

であった。実家から通っている利点もあって、生活はなるべく切りつめた。会社では白衣を着ることが多いので、同じ服を着ていても、みんなにばれにくいのも幸いだった。家に帰ると、毎日、預金通帳を眺めていた。就職してから十年以上、

「早く増えますように」

と印字されている数字をこすってみたりした。店のオーナーになった人の話が雑誌に掲載されていると、むさぼるように読んだ。でも自分が望んでいるような店はどこにもなかった。昔の食堂みたいに近所の人がやってきて、楽しく過ごして、食べる物は素朴だけどおいしい。表面だけお洒落《しゃれ》で実《じつ》のない店には絶対にしたくなかった。でも東京ではそんな店ばかりが多くなっていく傾向があり、雑誌に載っているとか、予約が取りにくいとか、そんなことが店の評価の基準になったりしていた。

「今の日本人って、味なんかわかってんのかなあ」

　ベッドにひっくりかえって、そんなことも考えた。すぐに目先の新しいものにとびついて、流行っていればいいものだと勘違いしてしまう。老舗《しにせ》の筋が通った和食店ではそういうことはないだろうが、自分は板前ではないし、作りたいのはそういう店ではない。

「そうか」

　サチエはぴょこっと飛び起きた。

「外国で作ればいいじゃない。何が何でも日本でやる必要なんかないもん」

　気分が明るくなってきた。幸い、各国の料理を習ったおかげで、どこへ行ってもそれなりの料理を作れる自信はある。

「そうか、そうか、あっはっは」

　いったいどこの国がいいだろうかと、あれこれ思いを巡らした。アメリカ人は味がわからなそうだし、イギリスもピンとこないし、中国や韓国には入り込む隙間がないし、インドもアフリカ大陸も……と考えているうちに、ふと頭に浮かんだのは、フィンランドだった。

「フィンランドねえ」

サチエは腕組みをしてうなずいた。ずいぶん前になるが、父の道場にフィンランド人の青年が来ていた。サチエはティモさんと呼んでいた。他の外国人のお弟子さんたちは、明らかに道場で闘いのモードに入っているのに、彼はどことなく違っていた。無愛想なので怒っているのかと思うとそうではなく、サチエをかわいがってくれた優しいお兄さんだった。その後、まだ母が生きているとき、家族三人でヘルシンキの武道場に行ったことがある。帰国する前、ティモさんが遠慮がちに、いつかヘルシンキの道場で指導して欲しいといったのを、父が、

「よし、わかった」

とほとんど謝礼なしで快諾したのだ。今でもそのときに買ってもらった、ムーミンとミイのお人形を持っている。一週間の滞在だったが、どこかのんびりして、海沿いにはころっころに太ったかもめがたくさんいて、すぐ近くに森もあって、サチエはとても好きになった。他の外国人のお弟子さんたちは覚えていないが、彼のことはよく覚えている。もしもそこで店を出すとなったら、知り合いがいたほうが都合はいい。

「よし、いいじゃないの、いいじゃないの」

サチエはだんだんうれしくなってきて、着々と準備をはじめた。古い名簿を引っぱ

り出して、門弟《もんてい》の住所を調べて、彼にハガキを書いた。のっけから本題に入るのも何なので、お元気ですかというご機嫌伺いである。もしかしたらそこにはいないかもしれない。返送されて戻ってくるかもしれない。自分でも唐突だと思ったが、そうせずにはいられなかった。出すほうがそうなのだから、もらったほうはもっとびっくりである。これまで何の音沙汰もなかった、恩師の娘から突然のハガキをもらって、

「おろろきました」

とつたないひらがなで書いた返事が来た。以前の住所には母だけが住んでいて、そこからハガキが転送されてきたことと、近況、彼のヘルシンキの現住所が書いてあった。一本の糸がつながったことで、サチエの夢はがぜん、現実味を帯びてきた。会社が終わってから、料理学校の夜間部に一年半通って、調理師免許をとった。フィンランド語をマスターするにも、とにかく時間がないので、構文を丸暗記である。

問題なのは開店資金だ。貯金はある程度あったけれども、料理学校の学費が百五十万ほどかかった。父に頼るのも嫌だし、そんなことをいったら反対されるに決まっている。外国で店を出すとなったら、百万単位の貯金では不安だ。その上のランクでなるべくたくさんの貯金が欲しいとなったら、自力では無理なのは、サチエは十分わか

っていた。となったらあとは他力にすがるしかない。

サチエはくじ運がよかった。幼稚園のときに、町内の福引きで温泉旅行を引き当ててから、家ではサチエがくじ引き担当だった。お年玉つき年賀はがきでも、何度二等を当てたかわからない。ある時期、あまりに当たるのが怖くてくじ引きをやめていたこともある。くじ運がいいのは才能だ。最近は福引きもしていないし、小さなくじ運がたまって、大きなくじ運になっているかもしれない。

「やってみるか」

狙いはそれまで買ったことがなかった、宝くじである。ギャンブルには興味がないサチエにとっては、一攫千金を狙うにはこれしかない。一度に買うのは三十枚。宝くじ長者の情報を調べ、千万単位の当たりくじが出た売店を徹底的に調査した。いちばん最初のとき、売店に行くとたくさんの人が列を作っていた。それを見ただけで、当たりっこないと思って、気持ちが萎《な》えた。それでもこれで当たれば店が出せるのだと気を取り直して、列に並んだ。結果は末尾だけが当たる、

「並んでご苦労様賞」

だけだった。次は売り場を変えてみた。結果は同じだった。さすが宝くじは手強《てごわ》い

いると思いながら、年末ジャンボ宝くじを控え、三度目の正直はあるかと、街を歩いていると、宝くじの売店があった。そこも千万単位の当たりくじが出た場所という情報はあったが、サチエの購入リストの中にはいれていなかった。ところが売っているおばさんに後光がさしている。他の人には見えなかったかもしれないが、明らかにサチエには見えたのである。引きつけられるように売店に歩み寄り、

「バラで。三十枚」

とおばさんに声をかけた。

大晦日、サチエはテレビのニュースで、年末ジャンボ宝くじの当せん番号を知った。電話の横のメモを破り、あわてて書きとめた。

「当たってるかな、当たってるかな」

学生時代から使っている、机の引き出しを開けて、宝くじを取り出し、椅子に座り、一枚ずつ見ていった。

「組が違う。うーん、これもだめだ。？」

目にとまったくじがあった。

「えっ……、これ。当たって……る？」

心臓がどきどきして、かーっと顔が熱くなってきた。

「23組　2084……あーっ！」

間違いない！

「あたあたあた……」

サチエは腰くだけになって椅子から転げ落ち、床に倒れ込んだ。まさか本当に宝くじが当たるとは。

「うーん」

そのまま床の上に横たわった。

「夢かもしれない。ただ夢の中で喜んでいるだけなのかもしれない」

試しに眠ってみた。しばらくして起きてみると、やっぱり枕元に宝くじがある。起きあがって調べてみると、

「当たってる！」

いちおくえーん！　サチエの両目からだーっと涙が流れた。自分でもわからなかったが、涙が出てきたのであった。

「ありがとうございます。ありがとうございます」

サチエは何度も年末の太陽に向かって頭を下げた。こんなことが自分に起きていいんだろうか。もしかしたらこれで一生の運を使い果たし、明日死んでしまうのではないだろうかと、いいしれぬ恐怖にも襲われた。外に出るときも、バッグの中に当たりくじをいれて、胸に抱えて歩いた。少しの物音にびくついたりして、余計に目立つ始末であった。正月の稽古にやってくる、父のお弟子さんたちにお汁粉をふるまいながら、サチエは休み中、ずっと心ここにあらずだった。

銀行の仕事はじめの日、サチエはおどおどしながら、預金している銀行に換金しに行った。事前に電話で段取りを聞いてはいたが、周囲をきょろきょろと見渡し、明らかに挙動不審の女である。それを見透かしたのか、フロア担当の女性行員が、

「お客さま、今日はどのようなご用件でございますか」

と寄ってきた。サチエは彼女の耳元で、

「あの、宝くじが当たった……みたい……なんですけど。電話は事前にしておいたんですけど……。保険証と印鑑は持ってきました」

とささやいた。すると彼女は、

「かしこまりました。それではどうぞこちらへ」

と別室に案内してくれた。支店長自ら姿を現し、

「新年早々、なんとめでたいことで」

と大声でいわれて恐縮した。彼らも銀行の預金が一気に増えてうれしいのであろう。

(でもすぐに引き出すもんね)

サチエは突然、桁数が多くなった通帳を眺めながら、まだこれが夢ではないかと疑いながら、家に帰った。そして会社の仕事はじめの日、上司に退職届を出した。

「新年早々、何なんだよー」

サチエは会社から期待されていた。何度も何度も慰留されたが、

「すみません」

と深々と頭を下げて、三月末でやめることにした。

資金は得た。会社もやめられる。次はティモさんである。今度は本題に入る手紙を書いた。ヘルシンキで店を出したいこと、もしそのときは保証人を頼めるだろうかというお願いであった。律儀な彼からはすぐに返事が来た。また、

「おろろきました」

と書いてあり、自分にできることならば協力したいといってくれた。サチエはすぐ

に詳細が決まったら連絡すると礼状を書いた。父にこの話を打ち明ける前に、すべて周りを固めておかなくてはならない。誰に聞いていいやらわからず、テレビに出ていた弁護士の事務所を調べて電話をしたら、意外にも親切にあれこれ調べて教えてくれて、店を出すには現地法人を設立しなくてはならないとわかった。生まれてはじめて弁護士事務所に出向いて手続きをしてもらい、併せてフィンランド大使館へも現地に滞在する目的、期間、住居などを書いた書類を提出しなくてはならない。とりあえず何の許可も得ていないが、住居はティモさんのところにしておいた。わけのわからぬまま、何かをするごとに、

「あら、またですか」

という具合にお金が出ていく。でもサチエにはどかんと当たったものがある。自分のくじ運のよさを本当に神様に感謝したかった。

このことを父には全く知らせなかった。サチエが子供のころから、父は十年一日、判でついたように朝四時に起き、

「人生すべて修行」

を貫いていた。サチエはすべての許可が下り、あとは現地に出発するという最終段

階まで、父には黙っているつもりだった。へたにその前の段階で打ち明けると、技をかけられてギブアップさせられる可能性がある。いくら敏捷で武道の才能があるといわれたサチエでも、父には勝つ自信がない。秘密裏に着々と準備は進んでいたが、それに全く気付いていない父は、竹刀《しない》を手に素振りをしたり、近所を下駄で走ったりと、武道を貫いていた。

すべて準備は整った。ティモさんが役所のお偉方に武道を教えていて、その関係でいちばん肝心なところに、太鼓判に等しい価値のサインがもらえたのもとてもありがたかった。ティモさんからは、うちには泊められないけど歓迎する、という手紙ももらった。

「おまちしてます」

という文字を何度も眺めた。パリ経由フィンランド行きの、チケットも購入してある。出発は明日の朝だ。自分の部屋でこっそり荷物をまとめながら、サチエはちょっと心が痛んだ。持っていく荷物は、スーツケースひとつ、身の回りのものだけである。ここでも当せん金の存在はありがたかった。こっちから運ばなくても、あちらで調達できる。食器もきっとシンプルで使い勝手がいいものがたくさんあるだろう。父は知らない、サチエの日本最後の夜、二人はいつものように向かい合い、黙々と晩御飯を食べていた。

「おいしい？」

そう聞いたサチエに父は、

「どうしたんだ、そんなこと今まで聞いたことなんかないじゃないか」

と御飯に目を落としながらいった。

「何となく、聞いてみただけ」

父は黙って箸をすすめていた。だんだん胸が高鳴ってきた。晩御飯も済み、父は手拭いを手にして、風呂場と居間を行ったり来たりしていた。サチエは大きく息を吸って、

「お父さん」

と呼びかけた。

「何だ」

「ちょっと話があるんです……けど……」

「ん？」

父は床の間の前に座った。

「あのう……」

「結婚するのか？　かまわんから好きなようにしなさい」

娘の口から聞く前に、自分で先手を打ったつもりらしいが、それは大はずれだった。

「結婚じゃないんです」

「じゃあ、なんだ」

三十代の後半になった娘が告白することといったら、結婚しか頭にない父が情けなくもあった。

「あの、私、フィンランドに行きます。それで、しばらく帰りません。旅行じゃないの。あっちに住んで食堂をやるの」

「あ？」

「全部手続きも済んで、それで……。明日の朝、出発なの」

娘から予想もしていなかったことをいわれて、父はさすがに驚きを隠せなかったが、武道家のプライドもあるのか、

「むうう」

とうなって目をつぶった。瞑想をして心を落ち着かせているのか、それとも目をつぶっているうちに寝てしまったのか、サチエはじーっと動かない父を見つめた。

「黙っていてごめんなさい。きっと反対されると思ったから。お金のことも心配しないで。私のほうで全部できるから。それで、これはこれまで育ててもらった御礼です」

サチエは開いた通帳を座卓の上に置いた。父は薄目を開けた。そこには千五百万円と記帳されていた。実は二千にしようかなと思ったのだが、今後のことを考えて、五百、減らしてしまったのである。

「どうしたんだ、こんな大金」

「宝くじが当たりまして。これだけではこれまで育てていただいた御礼の何百分の一にもならないかもしれませんが、これで許してください。こういう娘ですので、お腹立ちであれば、勘当してくださっても結構です」

サチエはずっと正座をしていた。二人の耳に、風呂場から湯が流れ出る音が聞こえてきた。父はあわてて手拭いを取り上げ、風呂に入ってしまった。その間、ずっとサチエは正座をしていたが、風呂からあがった父は、

「おまえも早く入れ」

といって、自分の部屋に引っ込んでしまった。風呂に入りながらサチエは、フィンランドに行くのは旅行じゃないんだ、仕事なんだと、あらためて自分にいい聞かせた。風呂から出たら、父はすでに寝ていた。

翌朝、目が覚めると、台所で人の気配がした。いつかこんなことがあったと思いながら起きると、父がおにぎりを作ってくれていた。

「持って行け。人生すべて修行だ」

父は自分にいい聞かせるようにそういって、おにぎりの包みを両手でサチエに突き出した。

「はい。行ってきます」

サチエは誰も見送らない玄関を、ただ一人で出ていき、そして一人でフィンランドのヘルシンキ・ヴァンター空港に到着した。

まずはホテルに荷物を運び、ティモさんに連絡をした。彼はすぐにやってきてくれて、

「オロロキマシタ」

を連発した。そして約束した通り、フィンランド政府への手続き、サチエの住むアパートの契約など、保証人が必要なときはいつでもついてきてくれたり、書類にサインをしてくれた。許可も下り、店も決まり、あとはサチエの気持ちひとつで開店を待つばかりというときに、彼は、

「ゴメンナサイ、ワタシ、フィンランドカライナクナリマス」

という。見知らぬ土地でただ一人、心のよりどころになる人だったが、韓国に武道の修行に行くことが急に決まったというのである。彼の出国が早まっていたら、こんなにスムーズに事は運ばなかった。サチエは自分の運のよさを、再び神様に感謝したくなった。

アジアの国から来たサチエは、アジアの国へ行くティモさんを空港で見送り、開店準備を着々と進めていた。アパートもティモさんの口ききもあって、適当なところが見つかった。日本でいえば2DKといった間取りだが、コンパクトで使い勝手はいい。シンプルでかわいい食器を求めて、街なかを歩くのは楽しかった。ふところも温かいし、夢はふくらむばかりだ。

「いけない、そんなに甘いもんじゃないんだから。いい気になっちゃいけません」

サチエはエテラ港で、足元を歩くころっころのかもめに向かっていった。かもめは、

「何やってんの」

という顔でサチエを振り返り、とことこと歩いていってしまった。

「かもめ……ねえ」

日本でかもめというと、かわいい水兵さんか演歌の脇役だが、フィンランドのかもめはどことなく、のびのびとふてぶてしく、またひょっこりしていた。このひょっこり具合が、自分と似ているような気がしてきた。

「かもめ……、かもめ食堂……、でいきますか」

またやってきた別のかもめに声をかけると、かもめはくりっとした目をぱちぱちっとさせた。

「はい、かもめ食堂。決定しました！」

サチエは小さく拍手をして、ふうっと大きく息を吐いた。港のそばの市場には、色とりどりの野菜や果物が並んでいる。観光客も多い。ネコがいるので、あらっと思ったら、その子はイヌのようにリードをつけられていた。そのリードを手にしていたのは、老夫婦だった。二人はゆったりと並んで歩き、前を行くネコの尻尾《しっぽ》はぴんぴんに

立っている。サチエはふふっと笑って、南側の屋内市場に歩いていった。

いちばん最初に誰が気が付いて来てくれるだろうかと、サチエはグラスを磨きながら、日がな一日待っていた。実は周辺の人々はみな気が付いていたのだけれど、最初の一歩が踏み出せなかったのである。ある日、厨房の中で、同じ皿なのにどこか大きさが違うような気がしてきて、じーっと見比べていると、静かにドアが開いた。はっとして顔を上げると、そこにいたのは、へたくそな手描きのニャロメが描かれたTシャツを着て、半ズボンを穿いた青年だった。サチエはうれしいというよりも、びっくりした。何も宣伝などしなくても、ドアを開けて入ってきてくれる人がいたからであった。彼は、サチエの顔を見て、ぱっと顔を輝かせた後、にっこり笑いながら、

「コニチハー。カ、モ、メ？」

とドアを指差しながら語尾を上げた。

「ヨー（はい）、かもめ。lokki」

「アア、ソウデス。ワタシ、ヨメマスタ」

ちょっと怪しい日本語で彼は話しかけてきた。

「ニホンゴ、ベンキョ、チョットシマシタ。ドコデ？　シミンコウザデ。ニホンジンノオクサマガ、オシエテクレマスタ。ニホンノジ、エート、エロガナ、トテモカワイイデスネ」

「えろがな？」

サチエは首をかしげた。

「エー、アー、マルイデスネ。『か』『も』『め』」

空に指で書いた。

「ああ、ひらがなですね」

「ア、ソウデス？　ヒーラガナデスカ。アア、センセイ、イッテマシタ。ヒーラガナ、カタカネ、カンズ。オモイダシマシタ。ワタシノナマエハ、トンミ・ヒルトネンデス。ドゾヨロシク。アナタノオナマエハ、ナニデスカ」

地元の人にしては珍しく、おしゃべりな青年であった。サチエは彼の覚え間違いを訂正し、コーヒーを淹《い》れてあげた。彼はカップを前にして熱く語りはじめた。

トンミくんは一年前、たまたま日本のアニメーションを見て興味を持ち、少しでも日本語を理解しようと、ヘルシンキの市民講座で、短期の日本語のクラスが開講されたのを機会に、そこで勉強したこと。ぜひお金を貯めて日本に行って、ガッチャマングッズをたくさん買いたいのだといった。

「はあ、ガッチャマンねえ」

「ガッチャマン、スバラシイデス。コンドルノジョー、ケン、ジュン……アアッ……」

青年は胸の前で両手を組み、うっとりした顔で身もだえした。

「でも、あなたが着ているのは、ニャロメのTシャツですね」

サチエはクールにいい放った。

「コレ？　デスカ。ハイコレハ、ニャロメデス。ガッチャマンデハアリマセン。ガッチャマンノツギニスキデス。ハイ、デモコレハ、ニャロメデス」

「どこで買ったんですか」

「ドコデ、カッタ？　ハイ。ニワデカイマシタ」

どうやらフリーマーケットが開かれ、そこで買ったらしい。Tシャツをよく見ると、ニャロメは太字のマジックインキみたいなもので描かれ、もちろんへたくそであった。白いTシャツが寂しいので、適当にニャロメを描いたといった感じの、どうでもいい

Tシャツであったが、彼はとても気に入っているらしく、襟元はよれよれに伸びていた。

「ガッチャマンハ、ダイスキデス。ウタモスバラシイデス。『ラレラ、ラレラ、ラレラーッ……』」

調子っぱずれの声で彼は歌いはじめた。アニメーションには疎いサチエにも、それは明らかに勘違いしているのがわかった。

「それは『誰だ、誰だ、誰だー』じゃないですか」

「『ジャナイデスカ』ッテ、ナンデスカ」

この構文は彼にはちょっと難しかったようだ。

「あなたは、間違えています。わかりますか」

「マチガエテイマス。アア、ハイ、ワカリマスタ。エッ、マチガエテイマスカ？　ドコ、ドコ？」

彼が焦ったのを見て、ついサチエは曲を口ずさんでしまった。

「オオオオオー」

トンミくんは感動で再び身もだえした。そして背負っていたデイパックの中からあ

わてて紙とボールペンを出して、

「マタ、マタ、ウタッテクダサイマセ。オネガイシマス」

と目を輝かせた。サチエは、

「誰だ、誰だ、誰だー」

と歌い、彼は、

「dareda dareda dareda」

と書きとめた。書き終わるとぱっと顔を上げ、期待の目でサチエの顔を見る。

「ごめんなさい。ところどころしか、歌詞を知らないの。あのね、私はここと、『地球はひとつ、地球はひとつ。おーガッチャマン　ガッチャマン』のところしかわからないの。ごめんなさい」

彼はきょとんとしていたが、事情を理解したようで、がっくりと肩を落とした。サチエはおぼろげな記憶をたどりながら、小声で歌いはじめたが、やはり全部を覚えているわけではなかった。

「ミンナ……、ゼンブ、ワカリタイデス」

悲しそうな顔をした。なまじ歌ってしまったために、期待を持たせてしまって、サチエは彼が気の毒になってきた。

「ガッチャマンノウタ。シリタイデス。ワカラナイノハ、トテモオオキナ、カナシイモンダイデス」

トンミくんにとってはトテモオオキナ、カナシイモンダイと聞いて、主題歌を口ずさんでしまった自分をとても後悔した。彼は困ったような顔で、じっとサチエを見つめている。

「ごめんね。少し時間がかかるかもしれないけど、調べて正しい歌詞を教えます」

そういってやっと納得してもらった。

結局その日は、厳密にいえば客ではない、トンミくんしかお客は来なかった。おかわりのコーヒーも店の持ち出しになった。

「サチエ……チャン。ワカリマシタ。ココスキデス。マタクル。サチエチャン、サヨウナラ」

彼は合掌をして店を出ていった。

「はい、ありがとうございました」

店を出て見送ると、トンミくんは何度もこちらを向いて大きく手を振り、自転車に轢《ひ》かれそうになっていた。

次の日、彼はゲイシャチョコレートを持ってきて、サチエにくれた。パッケージにいかにも外国人が描いた芸者の姿が印刷されている。

「キートス（ありがとう）」

サチエに喜んでもらったとわかったトンミくんは、満面の笑みを浮かべて、満足そうに何度もうなずいた。彼が店にいることで、地元の人も少し安心して入りやすくなったのか、ぽつりぽつりとお客さんが来るようになった。彼らは椅子に座って、きょろきょろと店内を見渡し、どこをどう見ても、サチエ以外に店の人間がいないので、

「やっぱりあの女の子が、一人でやってるんだわ」

と小声でささやき合った。

トンミくんは日本語が少しわかるとあって、地元の人々に対して、日本通として優越感を持っているようだった。しかしそれは地元の人々にとっては、何の尊敬にも値しなかった。「かもめ食堂」のメニューは、ソフトドリンク、フィンランドの軽食。煮物、焼き物などの日本食、夜はアルコールも出す。味噌汁、そしてサチエの一押しであるおにぎりが、おかか、鮭、昆布、梅干しと揃っている。しかし客の注文はほと

んど、ソフトドリンクとフィンランド料理ばかりだった。注文をとるときは必ず、

「おにぎりもいかがですか」

と勧める。なじみがないフィンランド人が、それはいったいどういうものかとたずねるので、握ったものがあればそれを見せ、ないときは説明する。それを見たトンミくんは、

「なかなかおいしいですよ」

と横からしゃしゃり出てくるのだが、それを聞いておにぎりを注文する客は一人もおらず、みんなに、

「いや、結構」

と見事にきっぱりと断られた。自称日本通のトンミくんが、珍しく自腹を切っておにぎりを注文したことがあった。おかかと鮭の二個セットだったが、鮭はともかくおかかのほうは、飲み込むのに難儀しているようだった。それでも日本通のプライドにかけて、

「トテモオイシイデス」

というしかなく、涙目になっていたのを、サチエは見逃さなかった。それでも彼女

は、おにぎりに固執した。作る人が心をこめて握っているものを、国は違うとはいえわかってもらえないわけがないと信じていた。客にお勧めを拒否されても、彼女は腐ることもなく、にこやかに客と接し続けていた。そんなサチエを、トンミくんはうっとりと眺めていた。

青年の「かもめ食堂」への日参は続いた。彼は厨房で忙しく立ち働いている彼女に、あれやこれやと話しかける。

「だめ。今は忙しいの」

ふだんはふんふんと彼の話を聞いてあげるサチエだが、仕事となるとそれに没頭した。一喝されると、

「アア……ハイ……スミマセン」

としゅんとして店の隅に座っている。そして客足が途切れたのを見計らって、なんだかんだと話しかけてきた。

「オトウサン、オカアサンハドコデスカ」

「お父さんは日本にいますよ」

「ニホンデ、イルデスカ？　フィンランドニヒトリデスカ？」

トンミくんは不思議そうな顔をした。

「そうですよ」

「サビシクカナシクナイデスカ」

「いいえ」

きっぱりとサチエはいった。

「デモ、オンナノコヒトリ、アブナイデス」

「女の子？　誰のこと？」

「サチエサンデス。オンナノコデス」

「ああ、まあ、広い意味ではねえ……」

「ヒロイイミッテナンデスカ？　ソレハドウイウコトデスカ」

彼は必死の目つきになった。

「あ、あの、私は女だということです」

「ソウデス、ソウデス」

真顔で大きく何度もうなずいた。

「ガッコウハ……、イキマシタカ？」

「行きましたよ。東京の大学を卒業しました」

「…………」

うっと言葉に詰まった。

「ア……」

明らかに彼が落胆しているのを見て、サチエは、

「私、いくつ、何歳に見えますか？」

と直球を投げた。

「イクツ、イクラ、ナンサイ……。ナンサイデスカ？」

「はい、私が何歳だと思いますか？」

彼はだんだん顔を紅潮させながら、小声で、

「十五歳」

といった。

「十五歳？」

サチエはげらげらと笑った。トンミくんは口を真一文字に結んで緊張した顔をしている。

「私は三十八歳です」

明らかに彼の瞳孔が開くのがわかった。一瞬、くらっときたらしく、壁に頭をぶつけた。

「サンジュウハチサイッテ、サンジュウハチコ、サンジュウハチネントオナジデスネ」

涙目になっていた。

「そうです」

「フエ〜ン」

彼は何ともいえない声を出しながら、サチエの顔を見つめた。

「スコシカナシイデス。デモガンバリマス。ナカナイデス。キョウハサヨナラデス」

彼はがっくりとうなだれて、荷物を持って店を出ていった。その後ろ姿を見送りながら、サチエは、

「早いとこわかったほうが、彼のためにもいいし」

とつぶやきつつ、もう店には来てくれないかもしれないと思った。

翌日、いつもより遅く、いつもより元気なくではあったが、トンミくんはやってき

た。これまでの能天気な様子とは違うけれども、また店には来てくれたのである。

「コーヒーでいいですか」

サチエはいつものように明るくたずねた。

「ハイ」

おとなしく彼はうなずいた。さすがにショックが大きかったのか、ほとんどしゃべらない。客もほとんど来ないので、その日はサチエのほうから、彼が興味を持っている、日本のアニメーションの話をした。鉄腕アトムがどうのこうの、最終回はこうだったと、あれこれ話し相手になっていると、ふっと彼は思いだしたように、

「ガッチャマンノウタ……」

と訴える目つきをしてつぶやいた。

「あ、そうだったね」

サチエははっとした。彼に約束したことをまだ果たしていないのである。

「ごめんね、もう少し待ってね」

実は何もしていなかった。日本にいる誰かに連絡をとらなければと思いつつ、周辺には歌詞を知っているような人も思い浮かばず、それっきりになっていた。

「ガッチャマンノウタ……」

もう一度、悲しそうにつぶやいた。

「わかった、何とかするわ。もう少し待ってね」

「ワカリマシタ」

彼はとっても悲しそうだった。

サチエは困っていた。ちゃんと歌詞を教えない限り、彼は納得しないだろう。そしてそれはサチエの信用問題であり、ひいては「かもめ食堂」の信用にもかかわる。サチエの実年齢を暴露して衝撃を与えたこともあり、サチエのせいではないけれども、二重の苦悩を彼に強《し》いるのは気の毒でもあった。いったいどうしたものかと、彼女は悩んだ。インターネットで探そうとしても、著作権の問題があるので、全部は公開されていない。

「いったいどうしたらいいかしら」

サチエの頭の中は、「ガッチャマンの歌」でいっぱいになっていた。休みの日、ヘルシンキの街なかを散歩していても、

「誰だ、誰だ、誰だー」

とつい口ずさんでしまう。しかしその後の歌詞が出てこない。

「うーん」

うなりながら思わずサチエの足はアカデミア書店に向かった。何の本を買い、何の本を読むわけでもないが、書店に入るとなぜか心が安まる。一階の書棚を眺め終わり、二階のカフェ「アアルト」に入った。ここでお茶を飲んで、ぼーっとするのがサチエは好きだった。ふと見ると大柄な東洋人の女性が、コーヒーを前にして不安げな表情で、ぽつんと一人で座っていた。東洋人には間違いないが、いったいどこの国の人かはわからない。そーっと様子を窺った結果、彼女が手に文庫本を持っているのを見て、日本人だと確信したサチエは、つかつかと彼女の前に歩み寄った。そしておもむろにたずねた。

「ガッチャマンの歌、知ってますか？」

「はっ？」

サチエとミドリが最初にかわした会話はこれだった。ミドリはしばらく呆然とサチエの顔を見つめていたが、はっと我に返った。

「あ、ええ、はい。わかります。全部知っていると思います」

「教えてくださいっ。お願いしますっ」

サチエはかっと目を見開いて、ミドリの顔を見つめる。

「あ、ああ、はい、わかりました」

「あ、書くものが……」

「大丈夫です。私、持ってますから」

ミドリはバッグの中からボールペンと手帳を取り出した。

「準備がいいんですね」

サチエは感心した。

「昔から習慣になっちゃってて」

ミドリは恥ずかしそうにつぶやき、手帳を破って書きはじめた。達筆だ。

「誰だ　誰だ　誰だ　空のかなたに躍る影
白い翼のガッチャマン
命をかけて飛び出せば　科学忍法火の鳥だ
飛べ　飛べ　飛べ　ガッチャマン
行け　行け　行け　ガッチャマン

地球は一つ　地球は一つ
おおガッチャマン　ガッチャマン

誰だ　誰だ　誰だ　海の地獄に潜む影
強い勇気のガッチャマン
嵐をさいて雲きれば　科学忍法火の鳥だ
飛べ　飛べ……」

信じられないくらい、すらすらと歌詞を書いた。

「すごい。完璧です」

「弟が大ファンだったので、私もずっと一緒に見ていたら、覚えちゃったんです」

「そうそう、こういう歌詞だった」

サチエは歌詞を見ながら、小声で歌った。ミドリはフィンランドのカフェで、それも到着したとたんに、ガッチャマンの歌詞を書かされるとは想像もしていなかった。

「私、食堂をやってるんですけど、そこに来る日本かぶれの男の子がいて、ガッチャマンの歌を教えてくれって、ずっと頼まれていたんです。最初のところしかわからなくて。でもよかった。これで何とかなりました。ありがとうございました」

サチエはぺこりと頭を下げた。

「い、いえ、こちらこそ、どうも」

「名前もいわずにすみません。私、ハヤシサチエです」

「あ、私はサエキミドリといいます」

二人がかわりばんこに頭を下げるのを見て、隣の席のフィンランド人の初老の夫婦が、くすっと笑った。

「サエキさんは観光でいらしたんですか」

「いえ……」

ミドリはいいよどんだ。

「ああ、留学ですか」

「いえ、そうじゃなくて……」

サチエはわけがありそうなミドリの顔を見つめた。

「指差しちゃったんです」

「えっ、指差しちゃった？」

＊

ミドリは一人で日本からやってきた。彼女は兄二人、弟一人の四人きょうだいで、両親にとってはたった一人の娘だった。幼いころからきちんとしつけられ、書道、お茶などの習い事もし、小学校からエスカレーターで進学できる私立校に通い、大学を卒業して就職した。それも一般企業ではなく、父親の知り合いの、天下りの役人が集まった小さな会社であった。両親はそういう年齢の高い人々が集まる会社にいれば、それなりの縁談もあるだろう、若い男性は一人もいないので、悪い虫もつかない。つぶれる心配もないというので、ミドリをそこに就職させることにした。彼女はそれに対して何の疑問も持たずに、素直に親に従った。親のいう通りにしておけば間違いないといわれたので、たしかにそうだと納得していたのである。学生のときはよい成績をとり、娘といわれる年齢になったら品行方正、適齢期になったら社会的に非の打ち所のない男性と見合い結婚をして、子供を産み育てる。そういうものだと疑わなかったのである。

就職した会社の仕事は本当に楽だった。薄っぺらいタブロイド判の農業関係の新聞を月刊で発行していたが、ほとんどが決まり物で、新しいニュースを追いかけるとか、日々取材で追われるといった業務では全くなかった。おじさんたちは、月のうち一週間だけしか働いていないように見えた。それでも給料は、

「え、こんなに？」

と驚くくらい、ちゃんともらっていた。ミドリの給料は年齢の相場であったが、仕事の分量から比べると、明らかにいただきすぎる額だった。ミドリは毎朝、九時に、都心の小さな古いビルの五階にある会社に出社してまず窓を開け、掃除をする。みんな残業などほとんどしないので社内もほとんど汚れない。十人分の机の上を拭き、乱れていたら整え、お茶を淹れる準備を調える。三々五々、いちおう嘱託社員という肩書きのおじさんたちが、のんびりと現れると、一人一人にお茶を淹れる。彼らは出社してもすぐに業務にとりかかるわけでもなく、席に座ってずーっと新聞を読んでいる。なかには社内のテレビをつけて、奥様番組を見ていたり、ゴルフのビデオを会社に置いていて、ビデオレコーダーにセットして、プロゴルファーのスイングを食い入るように見つめている人もいる。ミドリ自身も、いったいこの誰も働いていないようにし

か見えない会社に、どうしてお金が入ってくるのか、把握できていなかった。

布袋様《ほていさま》みたいな容姿の経理担当者がいて、ミドリは彼から命じられて経理関係の手伝いもさせられた。といっても銀行に行って、指定の口座に振り込みをするとか、通帳の記帳をするといった、子供のおつかいみたいなものばかりだ。請求書書きも一年一律、金額も宛先も決まっているから、締め日が来たら機械的に請求書を書いて送るだけ。他にはおじさんたちから頼まれた用事、たとえば彼らが書いた手紙をポストに投函する、ときには代筆もした。新聞の送り先リストの管理、慶弔《けいちょう》の贈り物に気を配るなど、そういうことがミドリの仕事だった。

二十代のころは、まだパソコンも一般的ではなかったから、それなりに仕事の能率も悪く、のんびりやって始業から終業まで、なんとか一日、仕事をもたせていた。両親の目論見《もくろみ》通り、見合い話もひんぱんにあり、積極的に見合いしたものの、どれも実を結ばなかった。パソコンが導入されてからは、あっという間に仕事は終わってしまい、一日のうちほとんどは暇になった。新聞の送り先リストも、手書きで書いていたころが懐かしくなった。住所変更があるたびに、インク消しで住所を消して、新しい住所に直す。あいうえお順を考えながら、贈呈リストの名前の順番を完璧なものにする。そういうことに命を燃やしていたが、パソコンだと、あっという間に全部をこなしてしまう。仕事が一瞬で終わってしまうと、後は何もすることがなく、ただひたすら本を読んで時間をつぶしているような有様だった。もうこのころには見合い話もなくなり、おじさんたちはすでにミドリは結婚をして、子供を三人くらい産んでいると勘違いしているような扱いになっていたし、ミドリ自身も、刺激はないけれども、のんびりした毎日に慣れきってしまい、このままいれば楽だなあくらいにしか思わなくなっていた。

就職して十年くらいは、定年退職したおじさんたちが、ぽつりぽつりと入ってきて、同じ数のおじさんたちが退職していった。ミドリの下には誰も入ってこないので、ミドリは万年平社員で、ただ一人の女性社員だった。役人の天下りが目をつけられるようになって、そのうち新しいおじさんたちも入ってこなくなった。外からの新しい人間が誰一人、やってこなくなってからは、その会社は社会から取り残されて時間が止まったみたいだった。いつ行っても同じ。いつ行っても同じ匂い。あの席にあのおじさんがいて、この席にこのおじさんがいて、壁には入社したときから同じ額がかかっていて、給湯設備の横の壁には、若かりしころの岩下志麻が着物姿で微笑《ほほえ》んでいて……。何の変化もなかった。ミドリもそうだがおじさんたちも同じように、時の止まった会社の中で、歳だけはとっていった。髪の毛のあったおじさんも、年々毛が薄くなって禿げていった。

「みんな歳をとったなあ」

とまるで根が生えたように座りなれた席から、社内を見渡していた。そしてそのうち、寿命がきて、毛のあるなしにかかわらず、おじさんたちは一人減り、二人減りしていった。損失補塡はないので、社員は減るばかりである。ミドリの仕事はもっぱら弔事係になった。会社関係に連絡をし、おじさんの家族の手伝いをする。最初は胸がしめつけられる思いがしたが、三人、四人と亡くなっていくと、悲しいけれどその悲しみにも慣れるようになってしまった。ミドリの人生を掌握していたような両親も、次々に体調を崩して寝込み、最初は長男宅で同居していたが、義姉も無理がたたって体調が思わしくなくなったので、きょうだいでお金を出し合って、両親とも介護つき老人ホームに入居させたのである。両親は子供や孫が面会に行っても、ほとんどわからないような状態になっていた。そんななかで弔事に関わるのは、複雑な心境だったけれども、これで実の親の万一のときに、慣れておけということかと、ミドリは淡々と自分のやるべきことをこなしていた。

覇気がない会社に、死にゆく嘱託社員。会社の滅亡が近いと案じていたミドリは、突然、布袋様から年末に解散を告げられた。布袋様も半年前に大きな手術をし、以前の半分くらいに横幅がしぼんでいた。

「長い間、ご苦労さま。退職金は出るから、しばらくのんびりすれば」

といわれた。

（のんびりすればっていわれても、今まで会社でこれだけのんびりしていたのに）

とミドリはいいたくなった。二十一年間、なんの大きな変化もない会社だったが、もう来なくていいといわれると、足元が宙に浮いたような気持ちになった。そのとたん、何だか猛烈に腹が立ってきた。

「いったい私、今まで何をやってきたの。学校を卒業して、ただだらーっと毎日を過ごして、気がついたら四十過ぎてるじゃないの」

おじさんたちが老けたとしみじみ感じたミドリであったが、彼女も二十一年の間に、それなりに老けていたのであった。

その正月はミドリにとって怒りの正月だった。父と母がいなくなった、ミドリだけ

が住む実家に集まった兄と弟たちは、

「どうするんだ、いったい」

と不安そうな顔をした。

「おれのところはだめだよ」

「おれのところも同じ」

男きょうだいは次々に同じことをいう。義理の姉や妹まで、

「そうなの、私たちもいろいろと大変だから」

と口をはさむ。甥《おい》や姪《めい》たちは無関心そのもので、雑煮をむさぼっている。いったい何をいいたいのかと、雑煮を手に考えていて、彼らが自分たちを頼るなと牽制しているとわかって、怒りがこみあげてきた。怒鳴ったり大声を上げたりなどできない性格のミドリは、口をへの字に曲げて精一杯の怒りを表した。

「でもお義姉《ねえ》さんも不安よね。ただ勤めた年数が長いだけで、キャリアがあったわけじゃないから再就職も難しいし。これから結婚っていうわけにもいかないしねえ」

妊娠中の義妹はおせちが入った重箱をつつきまわした。このお重の中にはミドリが失意のなか、年末に作った料理が詰められていた。

（どうしてこんな人のために、おせちを作らなくちゃいけなかったのかしら）

ミドリは何といい返してやろうかと、必死に考えていた。

「でもミドリ、本当にどうするんだ。しばらくの間はいいが、これから先は長いぞ」

兄弟一家はミドリの顔をじっと見ている。みんなの視線を受けた彼女は思わず、

「心配しないで。みんなに迷惑はかけないから。ちゃんと計画してることがあるから」

といい放ってしまった。

「へえ、そう」

みんなは、そうだったのかと納得したような顔でうなずいた。

「計画って何だ？」

長兄が聞いた。そんなものあるわけがない。ミドリは焦りを悟られまいとしつつ、

「うん、まだ、具体的じゃないから。ちゃんと決まったら話すわ」

といっておいた。

「大丈夫なのか？　暮らしていけるのか？」

「私たちもいろいろと大変だからねえ」

義姉がまた念を押した。

「わかってます。ご迷惑はかけませんから」

ミドリは半分意地になっていた。

「ああ、そう。それならねえ、ほほほほ」

義理の姉妹どもはほっとした表情になった。

（あなたたちには、どんなに困ったって世話にはならないわ）

そう腹の中で毒づいたものの、現実には何も決まっていなかった。こうなってはじめて、何て自分はぼーっと何も考えずに生きてきてしまったんだろうかと、兄弟一家以上に、自分自身に腹が立った。書道の段を持っているからといって、書道教室では生活を成り立たせるのは難しい。お茶を習っていたからといって、簡単に師範の免状をもらえるわけでもない。どの職業でも指導する立場になるのは、生半可ではできないのだ。

「どうしよう」

兄弟一家にいった手前、つじつまを合わせなくてはならない。

「あああ、もう。私って何て馬鹿だったのかしら」

部屋の中で髪の毛をかきむしった。かきむしっても、生命力の弱い毛が抜けるだけである。

「ふう」

ベッドに腰掛けて、本気で今後の身の振り方を考えた。かっとしたものの、義妹のいった通りだった。会社に勤めている間、ただいわれたことをやっただけで、自分がする仕事について考えたこともなかった。勤めている会社がつぶれるなんて、疑いもしなかった。それが現実にはこうなってしまった。いかに自分が甘かったかということだ。子供のおつかいみたいな仕事では、このご時世ではどこも雇ってなんかくれないだろう。

駅前のスーパーマーケットの前を通ったら、パートさん募集の貼り紙が出ていた。幸い、多少の貯金もあるし退職金ももらったので、切羽詰まって働く必要はないが、やはり求人には目がいってしまう。そのスーパーで買い物をしていたら、パートらしい主婦の会話が耳に入ってきた。

「ねえ、スガさんのこと、知ってる？」

「ううん、知らない。なあに」

「あの人、この間、子供の学校の都合で、三日間休んだでしょう。そうしたらね、出てきたとたんに配属を替えられて、今度は売り場が冷凍食品になってたんですって」

「ええ、それって、もう」

「そうなのよ。やめるのは時間の問題ね」

「冷凍食品はきついものねえ。体が冷えるだけ冷えるし」

「うちの姥捨《うばすて》山っていわれてるものねえ。あそこに回されて、三月持った人なんていないもの」

「私たちまだ野菜売り場でよかったあ」

見たところ、二人はミドリとどっこいどっこいの年齢だった。パートに応募したら、冷凍食品に回されるかもしれないと心配になり、応募はとりやめた。

部屋の中を整理していたら、五年前に更新したパスポートが出てきた。社員旅行で韓国に行こうと決まってパスポートを更新したのだが、出発直前に部長が亡くなったので、とりやめになったのである。出国、入国、何のスタンプも押していないパスポートを、ミドリはじっと眺めた。

「外国に行ってやる」

体の底から熱いものがこみあげてきた。具体的に外国語の勉強をしたいわけでもないし、何が見たいわけでもない。ともかく親や兄弟がいる同じ地べたからは、しばらく遠ざかりたかった。でもいったい、どこに行っていいやら見当がつかない。思い返してみれば、今まで海外旅行をした、ハワイ、韓国、オーストラリアは、どこも両親と一緒だった。どこへ行っても両親の世話係で、添乗員から感謝されたくらいであった。

「絶対どこかに行ってやる。どこかに」

ミドリは本棚のどこかに、世界地図があったはずだと探した。中学生のときに授業で使った、四隅が傷んだ青い表紙の世界地図帳が出てきた。膝の上に地図帳をのせて、最初の世界全図のページを開いた。目をつぶり、人差し指を立てて、地図帳の上でぐるぐると動かした。

「えいっ」

気合いもろとも、人差し指を突き立てた。あまりに気合いが入って、突き指しそうになった。ぱっと目を開けたミドリの目に飛び込んできたのは、フィンランドだった。

「フィンランド……」

シベリウス、ムーミン、サンタクロース、全くなじみがないわけではなかった。急にミドリの鼻息は荒くなってきた。

「行ってやる、絶対に行ってやる」

それからのミドリは、二十一年間の怠惰な年月を埋めるべく、情熱をフィンランドに向けてほとばしらせた。書店に行ってガイドブックを買い、会話の本も買ったが、あまりにフィン語が難しいので挫折した。それでもフィンランド行きはとりやめにしなかった。そうやっているうちに、自分はずっと昔から、フィンランドに憧れていたような錯覚に陥った。

兄弟一家にフィンランドに行くと告げると、みなミドリの顔を見て、最初はあっけにとられていた。

「フィンランド語を勉強したいから」

一同、

「ふーん」

と納得して、それから何もいわなくなった。根ほり葉ほり、いろいろと聞かれると思っていたのだが、あまりに彼らの対応はあっさりしていた。自分たちの周囲を失業

者にうろうろされるより、どこかに行ってもらったほうが気楽だったのかもしれない。

いくらわからないといっても、両親に何もいわずに日本を出るわけにはいかない。ミドリは両親が入居している老人ホームに行き、ただ寝ているだけの二人に、

「行ってくるからね」

と告げた。自分は親不孝な気がした反面、これまで親のいったことに逆らったことがない、親孝行な娘だったからと、いいわけもしたくなった。自分はフィンランドに行くと決めたというか、決まったのだ。兄の一人は義姉に内緒だといって、餞別《せんべつ》をくれた。

「何ていう学校だ？」

「え……と、国立ムーミンフィンランド語専門学院」

口からでまかせだった。

「そうか、がんばって勉強してこい」

ミドリはフィンランドに行くと決めただけで、これからのことは何も考えていなかった。これまであまりにレールにのりすぎた人生だったので、線路からはずれてみたくなったのだ。

「うん、わかった」

いちおう兄にはそういい、ミドリは何の知識もなく、目をつぶって指を差すまで、頭の片隅にもなかった国に旅立った。

*

「で、先ほどこちらに到着しまして、私がここに座っているというわけなんです」

「なーるほど」

サチエはうなずいた。

「もしもサエキさんが指差したのがアラスカだったら、アラスカに行ったんですね」

「はい、そうです。指を差したところに行くって決めてましたから」

サチエの頭の中には、もっこもこの毛皮を着たイヌイットの格好で、アザラシと格闘するミドリの姿が浮かんだ。

「もしもタヒチだったら、タヒチになったわけですね」

「もちろんそうです」

次に頭に浮かんだのは、腰蓑《こしみの》をつけてタヒチアンダンスをしているミドリの姿である。どれも似合いそうだし、どれも似合わなそうだった。

「いちおう、ホテルには一週間の予約をいれてあるんですけど。何をしていいか見当がつかなくて。街を歩いていて、本屋さんを見かけたので、ほっとして入っちゃったんです。本を読むのが好きだったんで、本が並んでいるのを見ているだけでも、落ち着くんです」

「ミドリさん、うちに泊まりませんか」

サチエは突然、切り出した。

「え、でも、そんな。今会ったばかりなのに……」

「ホテル代、もったいないですよ。狭いところですけれど、あなた一人くらい、泊まれます」

「でも……」

「もし泊まって嫌だったらそういってください。ミドリさんにとって居心地がよくないかもしれないし。ささやかな私の御礼です」

驚くミドリの手をとり、サチエはさっさとホテルに行って荷物をまとめさせ、自分のアパートに連れて帰った。

　アパートはきれいに片づいていて、室内はベージュ系で統一され、ベランダや窓際には鉢植えの花や観葉植物が並んでいる。

「素敵ですねえ」

「ありがとうございます」

　サチエがコーヒーを淹れてくれている間、ソファに座ったミドリは、興味深げに室内を眺めていた。シンプルなダイニングテーブルと椅子、食器類が入ったキャビネット。

（食堂をやっているっていってたけど、ご主人はいないのかしら）

　部屋の中を見ても、そのような気配はない。

「どうぞ」

　いい香りのコーヒーと共に、サチエがやってきた。

「ここに一人でお住まいなんですか」

「そうですよ」

「じゃあ、食堂は」

「一人でやってるんです」

「すごいですねえ」

「うーん、すごいっていうか。まあ、どうなんでしょうか。開店したばかりですけど、お客さんはぽつぽつですね」

　大繁盛している店ならともかく、客の入りも悪そうな店の若い女性店主の家に、居候するのは気がひけたが、サチエも強く勧めるし、知人も誰もいない外国で多少不安なこともあり、ミドリはサチエの言葉に甘えた。

　翌朝、目覚めるとサチエはすでに起きていて、朝食の準備をしていた。洗面所の鏡の前で、寝癖を必死になでつけたミドリが顔を洗い終わったころを見計らって、トーストと目玉焼き、コーヒー、オレンジジュースというイギリス風の朝食がテーブルの上に並んだ。

「こちらの人は朝粥《あさがゆ》を食べたり、オートミールを食べたりするんですけど、どうも私はこういう朝御飯になってしまって。家にいるときは和食だったんですけどね」

　ミドリはただただ恐縮して、朝御飯をいただいた。

「私はこれから買い出しをして、店に行きます。ミドリさんは？」

「私は……せっかく来たので、おのぼりさん気分で観光でもしようかなと」

「そうですよね。カフェからうちへ直行ですものね。これはうちの住所と合鍵です。迷ったらタクシーに見せてください。こちらの人は無愛想に見えるけど、みんな親切だから大丈夫ですよ。地図は持ってますか？」

「は、はい、持ってます。大丈夫です」

ミドリは手にしたバッグを何度も叩いた。

「どうぞ好きなようにしてくださいね。冷蔵庫の中のものも勝手に食べちゃってかまいませんから。今日も例の男の子は来ると思うので、ガッチャマンの歌がわかったっていったら、とても喜ぶと思います」

「お役に立ててよかったです」

二人は一緒に家を出た。のんびり歩いて十五分、港近くにあるテントを張った下で、色鮮やかな野菜や果物を売っている市場に出る。

「地元の人のなかには、市場で買わないでスーパーマーケットで買う人も多くなってるんですって」

「へえ、そうなんですか」

そういえば、地元のおじさんおばさんたちと、観光客が多い。

「私もどうしてもここで調達できないものは、スーパーマーケットで買いますけどね。ああ、あそこも市場なんですよ」

建物の一階が生鮮食料品、二階は衣類雑貨売り場になっていて、活気があるようには見えない。サチエの買い物に付き合い、「かもめ食堂」に向かった。ミドリは自分よりも若い女性が、どんな食堂を作っているのか、興味津々だった。すれ違う人の数も車の数もとても少ない。自転車に乗っている人たちが、服装はタウンウエアなのに、頭にはレーサー用のヘルメットをかぶっている。

「法律で決まってるんですか」

「そうじゃないはずですよ。みんな我が身を守るためにかぶってるんじゃないですか」

「でも服と合わないですよね」

「うーん、こちらの人はそんなことは考えないみたいです。ファッションにもあまり興味がないようだし」

街なかの洋服店のディスプレイを見ると、東京の場末の洋品店でも扱っていないような柄のブラウスが並んでいる。

「だいたい、こちらの人の普段着はジャージですね。特に男の人はそうです」

「へえ」

「で、だいたい酒を飲んでいて、顔が赤いです」

「はあ」

「でもいい人たちですよ。無愛想だけど」

ああだこうだと話をしているうちに、「かもめ食堂」に到着した。こぢんまりしているけれども、とても感じのいい店だ。

「あ、来た」

サチエが顔を向けたほうを見ると、大きく手を振りながら青年が走ってきた。

「サチエサーン、コニチハー」

「彼が日本かぶれのトンミくんです」

「ずいぶん明るい人ですねえ」

ミドリが感心して見ていると、彼は息を切らせながら、

「ボクハマタヤッテキマシタ。アナタトオハナシシタイカラ。オネガイシマス」

といい、隣に立っている見慣れないミドリを見て、

「コノヒトダレデスカ」

と聞いた。

「私のお友だちのミドリさんですよ」

昨日会ったばかりなのに、お友だちといってもらって、ミドリは恐縮した。

「コニチハ。ワタシハトンミ・ヒルトネンデス。ヨロシックオネガイシマス」

と挨拶をした。

「日本語、お上手ですね」

「アリガトゴザイマス。ベンキョシマシタヨ、シミンコウザデ。スコシネ。デモヨクマチガエル。ダメデス」

「トンミさん、ミドリさんがね、ガッチャマンの歌、全部、教えてくれましたよ」

「エエッ、ホントニデスカ？」

目の玉が飛び出るのではないかと思うくらい、彼は目を見張った。

「本当ですよ。ぜーんぶ、ちゃんと教えてもらいました」

「ハア〜ン」

急に彼は身もだえした。喜びで体がぐにゃぐにゃになったらしい。

「とりあえず中に入りましょう」

鍵を開けて中に入る間も、青年は、

「ガッチャマンノウタ、ガッチャマンノウタ」

と何かに取り憑《つ》かれたようにつぶやいている。

「はい、どうぞ」

サチエが紙を彼に手渡した。ミドリが書いた歌詞と、ローマ字表記に直したものの二枚だ。

「ウオオオオオ」

彼は喜びの雄叫《おたけ》びを上げた。

「これが日本語の歌詞ですよ。全部わかりますか」

「ウオオオオオ」

また叫んだ。

「アアッ、スバラシイデス。ウレシイデス。ミッドーレサン、アリガトゴザイマス」

彼は強引にミドリの手をとって、両手で握手した。

「いえ、喜んでいただけてよかったです」

「ハイ、トッテモヨロコンデイタダケマシタ。アアッスバラシイッ」

彼はローマ字表記の歌詞に目が釘付けになりながら、ぶつぶつと口ずさんでいた。そして、

「アアッ」

と悶絶の声を出しながら、喜びにひたっていた。

「はい、どうぞ」

サチエが淹れてくれたコーヒーを飲みながら、ガッチャマンの歌に没頭している。ミドリは「かもめ食堂」が思いのほか、大変そうだと感じ取った。それでもサチエは、開店の準備をはじめた。

「すみません。私はちょっと出かけてきます」

コーヒーを飲み終わったミドリは、立ち上がった。

「ミッドーレサン、ホントニアリガトゴザイマシタ。ワタシハシアワセデス」

「いいえ、どういたしまして」

「じゃあ、ミドリさん、あとは適当に」

厨房から顔を出したサチエは、そういって手を振った。

「はい、行ってきます」

ミドリは店を出た。あわててサチエが追いかけてきた。

「住所と地図、持ちましたね」

また念を押された。

「はい、持ってます」

バッグの中をのぞいて確認しながら、ミドリは返事をした。

「いってらっしゃい」

サチエは踵《きびす》を返して店の中に入っていった。ミドリは少し歩いて、手元の地図を見てみた。地図に「かもめ食堂」はなかった。ミドリは地図を見ながら、ウスペンスキ寺院、シンプルで美しいヘルシンキ大聖堂をめぐり、おごそかな気持ちになった。メインストリートのエスプラナディ通りを散策し、ふと気がつくとアカデミア書店の中にいた。どういうわけかここは落ち着く。ヘルシンキにアカデミア書店があって、本当によかったと感謝した。

特に何もすることがないので、ミドリはヴォイレイパというオープンサンドを買って、さっさとアパートに帰ってきた。夜七時過ぎにサチエが帰ってきた。

「コーヒーメーカーを、使わせてもらいました」

「ああ、どうぞ、どうぞ」

「疲れましたか」

　サチエは残ったコーヒーを飲みながら、

「うーん、疲れたともいえるし、疲れたともいえないしっていうところですかねえ」

といった。

「やっぱりお客さんはぽつぽつですか」

「まあ、開店から閉店までいたのは、あのガッチャマン青年だけですね」

「あのう、今日、歩きながら考えたんですけど」

「はい」

「食堂、手伝わせてもらうわけにはいかないでしょうか。このまま居候するのは気がひけて。といってずっとホテルに泊まるっていうのも、ただそれだけっていう感じがしてきたんです。ホテルにいる限り、私はお客さんのままだから。掃除でも何でもします。もちろんお給料をくださいなんていいません。ある程度ならお金も持ってきま

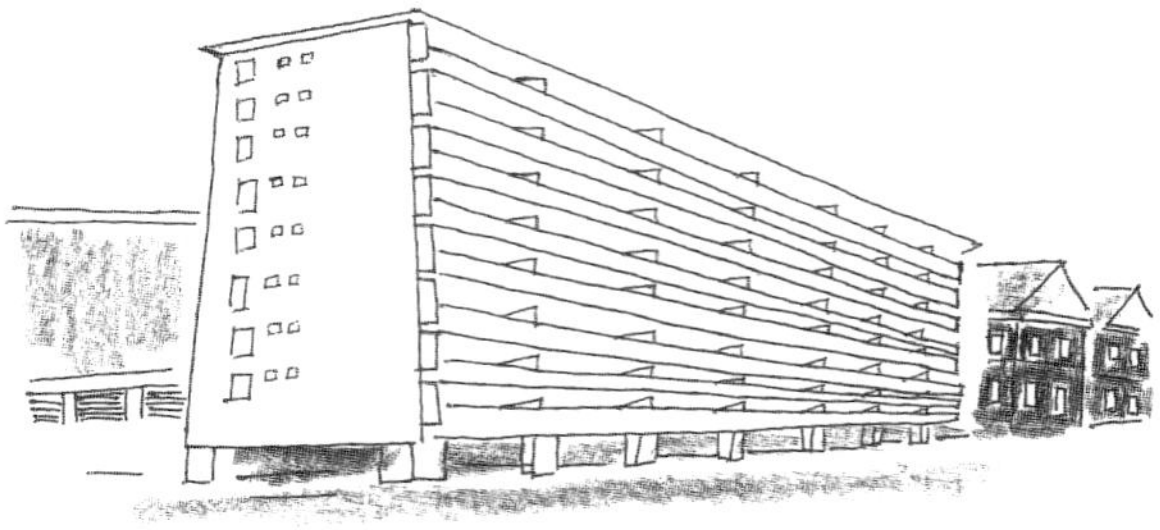

したし。ただ、こういっちゃ何ですけど、お客さんが来ないのに、店の人間が増えるっていうのも、サチエさんとしては辛いというか……」

少し考えさせてくださいというかと思ったら、

「いいですよ」

とサチエは即答した。

「よかったら明日から一緒に店に行きましょう。でも暇ですよ、ふふふ」

「すみません、勝手なことばかりいって」

ミドリはとりあえずここでやることが見つかって、ほっとしていた。身内に国立ムーミンフィンランド語専門学院を探されたら、どうしようもない。

「何でもやります。よろしくお願いします」

年下のサチエに、ミドリは何度も頭を下げた。

それから「かもめ食堂」の店の人間は二人になった。従業員を雇うことになったサチエが、翌朝、目を覚まして、枕元の目覚まし時計に目をやった。そろそろ起きる時間である。むっくりと上半身を起こすと、ものすごい寝癖で、髪の毛が逆立っている。それを軽く撫でつけて部屋を出た。着ているのはお気に入りのロンパースに腹巻きだ。

ミドリも起きてきた。ピンク色のパジャマを着て、寝ぼけているようだが、サチエに負けず劣らず寝癖がすごい。それを撫でつけもせずに、リビング兼ダイニングルームに呆然と立ち尽くしている。

「おはようございます」

サチエは腹から出した大きな元気な声で挨拶をした。

「お、おはようございます」

ミドリは大きな体を縮めるようにして、ぺこりと頭を下げた。呆然としているミドリを後目《しりめ》に、サチエはすたすたと洗面所に歩いていき、洗面とトイレを済ませて戻ってくると、まだミドリは呆然としている。

「す、すみません。低血圧なもので……」

ミドリは頭を掻いた。

「まだ時差ボケもあるのかもしれませんね」

サチエはさっさと着替え、市場に買い物に行く支度をして、パレコッパという買い物かごを手にした。

「店で朝御飯を食べましょう。それでいいですか」

「はい、かまいません。あ、すぐに着替えますから」

やっと体にエンジンがかかったように、ミドリは部屋に戻っていった。

「はい、待ってますよ」

寝癖はそのままのミドリは、着替えて姿を現した。

二人は並んでアパートを出た。身長百五十四センチのサチエ、百七十センチのミドリと背丈の違う二人なのに、歩調は妙に合ってしまい、まるで行進しているようだ。さっさと歩くサチエに遅れまいと、ミドリのほうが必死について歩いているので、行進しているように見えるのである。昨日と同じように、市場には山積みになった野菜、果物があふれんばかりになっている。昨日は観光客として見ていたのに、今日はここの住人として市場を見ている。それも話によると、あまりお客が来ない食堂の従業員にもなったのだ。ミドリはがぜん張り切った。

「市場ってどうしてこんなに楽しいんでしょうかね。毎日、足を運んでも、飽きることなんてないですよね。どの場所にどんな物を売っていて、どんな人が売っていて、どのくらいの値段かもだいたいわかっているのに、どうして飽きないんでしょうか。それが不思議なんですよね」

ミドリはオレンジを手にとって匂いを嗅《か》いだ。

「いつも同じだから、逆に飽きないんでしょう。売っている人も売られている物も、生きてるっていう感じがするし。いくら市場でも売られている物がぐったりしていたら、誰も買わないもん。空の下っていうのも、こうすかーっと抜けてていいのよね」

サチエはそういって深呼吸をした。ミドリは並べてある果物の匂いをひとつひとつ嗅ぎはじめた。

「東京にいたとき、たまーに高級スーパーマーケットで買い物をしてたんです。お給料をもらった直後なんか。ちょっとあんたたちとは違うのよって、物見遊山《ものみゆさん》で来ているみたいな見ず知らずの若いＯＬに差をつけたい気がして。今考えてみれば、長年働いている主婦が、買い出しをしてるくらいにしか見えなかったと思うんですけどね。レタス一個が八百円、キャベツが六百円、小柱がひとつ、ふたつって数えられるのが千二百円とか、すごい値段なんですよね。脳味噌の隅っこで、『高ーい、うちの近所の惣菜横丁の八百屋さんや魚屋さんで買えば、この何分の一で買えるのに』って思いながら、また別の脳味噌では、高級スーパーマーケットで買い物をしている自分にうっとりしてるんですよね。でもそれは、それだけで終わりだったんですよね。ここの市場みたいに買い物をしても楽しくなかったなあ。家に帰って袋から出して見て、見栄張ったくせに、値段を見てあらためて驚いている自分がいるんですよね。でもそうしていることが、なんだかいい気分になっているっていう。変な繰り返しでした。どこかおかしかったんですよね」

ミドリは並べてある物を手にして、匂いを嗅ぎ続けた。

「そういう生活は忘れましたねえ」

サチエはあっちこっちでひっかかっているミドリを置き去りにして、さっさと市場の中を歩きまわって、目当ての野菜や果物を買い集めた。すでに顔なじみになっている、売り手のおじちゃんやおばちゃんと会話を交わしながら、あっという間に買い物は終わった。息をきらせてミドリが走り寄ってきた。

「私、背が大きくてよかったなって思うのは、人混みですぐ見つけたい人が見つけられるってことです。もし私がこのままの性格で背が低かったら、世界中、どこへ行っても迷子になるって自慢できます。海外に行ったら、それっきりですよ、きっと」

「だから私はこういう性格なんですかね」

サチエはにやっと笑った。

「はい、そうですよ。うまくできてます、人間は」

そういいながらミドリは、サチエの手からパレコッパを取って自分が持った。

「あのう、買い出しってこれだけですか」

「たまに、これでも余ることがあります」

「そうですか」

ちょっとミドリの気分は暗くなった。自分が働かせてくれといったばっかりに、サチエに負担をかけているのではないだろうか。

「今日から二人で張り切っていきましょう」

サチエはぱんぱんとミドリの肩を叩いた。

「お客さんが来るといいですねえ」

ミドリは心の底から心配した。

「そうですねえ」

それに比べてサチエは妙に明るい。

「何とかなりますよ。まじめにやっていれば。どんな店だって最初っから、どーんと人が入るわけじゃありません。正直にやっていれば、ちゃんとどうにかなるんです」

「そうですねえ」

ミドリの口から出るのは、

「そうですねえ」

だけであった。

遠くから、

「サッチエサーン、アー、ミッドーレサーン、コニチハー」

と声がする。店の前で待っていたのは、毎度のトンミくんだ。「武士道」と漢字で書いてあるTシャツを着て、店の前で大きく手を振っている。

「今日は早いですね」

サチエが声をかけた。

「ソウデス、ワタシハハヤイデス。イエ、ハヤイデスカ？」

「早いですよ」

「ソデスカ？　ナルホド」

サチエは鍵を開けて、

「さあどうぞ」

と中に招きいれた。

彼の指定席はいちばん奥の隅のテーブルだ。トンミくんが来店するようになってからずっと、サチエは彼のために一杯目のコーヒーはサービスで出してあげている。彼はそれと水をちびちびと飲み、自腹を切ったことなどほとんどないのだ。

「お願いします」

「あ、はい」

ミドリはトレイの上にコーヒーカップをのせて、トンミくんの前に運んだ。

「はい、どうぞ」

「アリガトゴザイマス。ミッドーレサン」

「ミドリです」

「アア、ゴメナサイ。ミドリサン。アリガトゴザイマス」

青年は合掌した。厨房の中ではサチエが鼻歌まじりに、自分とミドリの朝食を作りはじめた。

「見た？『こども食堂』に人が増えたわよ」

近所の人は目ざとかった。

「見た見た。いつもの日本かぶれの男の子と、子供と、大人の人がいたわね」

「あの人がオーナーかしら」

「ううん、違うみたい。あの子供が指図して、大人のほうがいうことを聞いていたもの」

「じゃあ、あの子供がやっぱりオーナーなのかしら」

「わかった！」

衣料品店のおばちゃんが手を叩いた。

「大金持ちか、位の高い人の子供なのよ。きっと国からお付きの人が心配して来たんじゃないのかしら」

「なーるほど」

みな興味津々で「かもめ食堂」をのぞいていた。

いつも客の入りは八分ほどだった。サチエは英語が堪能で、フィンランド語もできるので、客の応対ができるが、フィンランド語はもちろん英会話もできないミドリは、愛想だけで応対するしかない。満面に笑みを浮かべ、心の底から、

「また、来てね」

の思いをこめて応対した。

「ミドリさん、なかなかいい感じですよ」

サチエが褒めてくれた。

「え、そうでしょうか。お役に立てばいいんですけど」

ミドリは照れた。

「ダイジョブ。イイカンジ、イイカンジ」

意味がわかっているのか、トンミくんは偉そうにミドリにいった。

「はあ、どうも」

といいながら、ミドリは、サチエも大変だと同情した。

午後から学校に行くと、トンミくんがいなくなり、客足が一段落したところで、サチエは、

「ミドリさんから見て、変えたほうがいいと思うところってありますか」

と聞いた。店の雰囲気も感じがいいし、料理も飲み物もおいしい。変えるところなどどこにもないような気がした。ふとテーブルの上に目をやると、メニューが目についた。フィン語、英語、日本語が、三つ並んでいる。

「あのう、メニューなんですけど」

「はいはい」

サチエは身を乗り出した。

「ちょっとそっけない感じがするんです」

「ああ、それねえ。私がパソコンで作ったのをそのまま使ってるだけなんですよ」

「ここに絵というか、イラストをいれたらどうかなって思うんですけど」

「なるほどねえ」

そういえばそっけなさすぎだとサチエはうなずいた。運動神経もよく料理上手で頭もよくてくじ運のいいサチエだが、唯一、絵は苦手だった。

「東京のカフェで、手書きっぽいメニューを置いているところはあるけれど。でもうちは日本食が多いし、絵になりますか」

「ちょっと描いてみましょうか」

ミドリはペンを借りて、「onigiri　おにぎり」と書き、その横に、丸、三角、俵のおにぎりの絵を描いた。それは素朴でどことなく洒落たタッチで、サチエは一目で気に入った。

「すごいですねえ。ミドリさん、字だけじゃなくて絵も上手なんですね」

「はい。絵はコンクールで入賞したことがあります」

「とってもいいですよ。温かい感じがするし。書き直しましょう」

愛想だけではなく、店に実際に役に立つことがあってよかったと、ミドリは胸をなで下ろした。早速、店を休憩中にして、二人でメニュー製作に必要な画材や文房具を買いに行った。書道用のタッチに近い細筆もやっと見つけて、なんとか新しいデザインのメニューができあがりそうだった。店に戻ると、

「サッチエサーン、ミッドーレサーン」

とトンミくんが手を振っていた。

「学校は」

「ガッコウ、イキマシタ。ベンキョウオワリマシタ」

授業が終わるとまたまっすぐに「かもめ食堂」に戻ってくる。帰巣《きそう》本能かと呆れながら、ミドリは黙って二人の会話を聞いていた。ドアを開けると、さっさと自分の定位置といわんばかりに、彼は奥に座った。またサチエはコーヒーを淹れてあげている。

「お願いします」

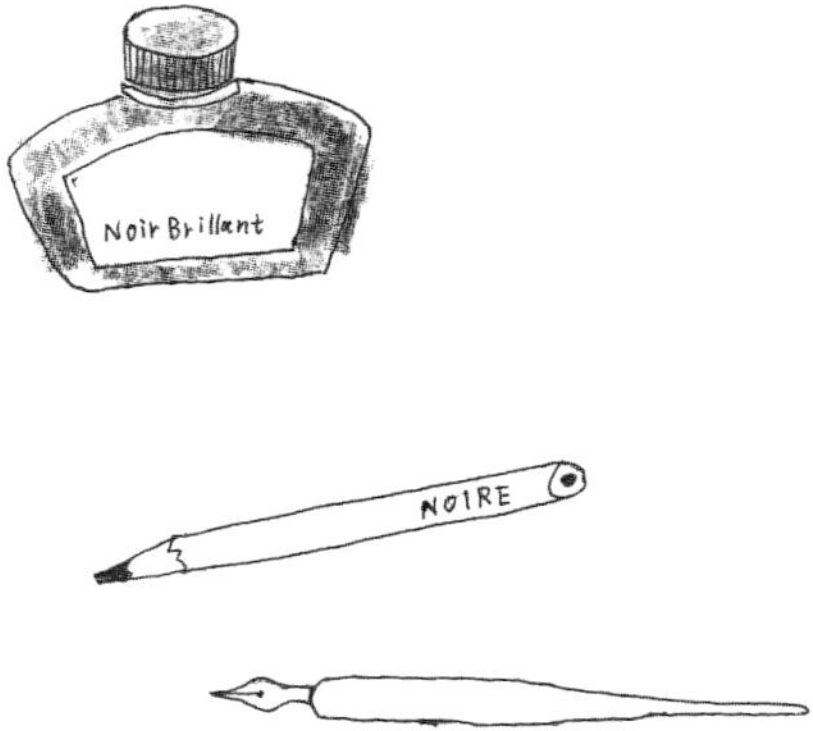
Noir Brillant
NOIRE

サチエにそういわれても、裏事情を知った身としては、他の客と同じように愛想をふりまいて接客できない。かといってつっけんどんにするわけにもいかず、ミドリはちょっと顔をひきつらせつつ、それでもそれを悟られないように、

「はい、どうぞ」

とコーヒーカップを彼の前に置いた。

「アリガトゴザイマス。ミッドーレサン」

「ミドリです」

「アア、ミドリサン。アハハ」

照れ笑いをする彼に向かって、

(何がアハハだ)

と思いながら、にっこり笑いかけた。

「コレ、トッテモイイデス」

彼はミドリが描いたメニュー案を、身をよじって絶賛した。

「いいですか」

「ハイ、トッテモイイデス」

どうしていちいち大げさに喜ぶのだろうかと思いつつ、褒められてミドリはまんざらでもなかった。客もちらりほらりしか姿を見せないこともあり、ミドリは厨房の隅で、野菜炒め、パン、味噌汁、煮物、サラダの絵を描いてみた。ニシン、鮭、ザリガニの絵も描こうとしたが、細かい部分まで覚えておらず、図書館に行って調べようと、やる気がわいてきた。暇な青年はひょこひょことミドリの手元をのぞき込みにきた。

「コレハ、カンジ」

鮭の字を指差した。

「そうです」

「コレハナンデスカ」

きっとフィン語で何かと聞いているのだろうと、ミドリが思わずサチエの顔を見ると、すかさず、

「merilohi（メリロヒ）」

と答えた。

「オー」

と彼は満足そうにうなずいた。

「コレハ、サムライスピリット、タダシイデスカ」

自分の着ているTシャツを指した。

「そうですね」

「オー」

また感動している。そして鞄の中からノートを取り出して、

「ミッドーレサン、コレ、コレ、カイテクダサイ」

と「鮭」と「武士道」を指定した。

「はい、わかりました」

ミドリは鮭、武士道と書いてあげた。

「オー」

喜んだ。そしてたまたま自分が持っていた雑誌に、ミカ・ハッキネンが載っているのを見て、それも書いてくれという。暴走族のグループ名みたいと思いつつ、

「美加発記念」

と書いてあげた。文字の意味をひとつひとつサチエが説明すると、

「オオオオー」

と興奮しはじめ、自分の名前をノートの表紙に書いてくれといいはじめた。

「豚身昼斗念」

文字の説明はしなかった。

「オオオオオオー」

ガッチャマンの歌のときと同じように、彼の喜びは頂点に達した。

「スバラシイデス、スバラシイデス。ハッキネント、コノジガオナジ」

「念」の字を指差して興奮している。

「ミッドーレサン、アリガトゴザイマス」

彼は合掌して何度も頭を下げた。

「どういたしまして」

店の隅で彼が喜びに打ち震えていると、三人連れの女性客が入ってきた。「こども食堂」偵察隊であった。外からは幾度となく中をのぞいていたが、店にやってくるのははじめてだった。ミドリははっとして立ち上がり、満面の笑みでお迎えした。彼女たちはメニューも見ずに、コーヒー、紅茶、シナモンロールと注文した。オーダーは言葉ができるサチエが取り、ミドリは精一杯背後で微笑み続けているだけだ。いちおうおにぎりもお勧めしたが断られた。伝票はミドリが書き、作るのはサチエと、おのずと二人の役割分担はできあがりつつあった。

「ほら、大人のほうが遠慮しているでしょう。子供のほうが主導権をとっているわ」

「大人はずいぶん愛想がいいわね。子供に気を遣っているみたい」

「ごらんなさい。あの子、とっても手際がいいわ。たいしたものね」

三人はこそこそと話しながら、様子を窺っていた。にこやかに笑いながら、ミドリがオーダーされたものを運んできた。

「これはお手製？」

と一人がシナモンロールを指差した。しかしフィン語がわからないミドリがうろたえていると、サチエがやってきて、自分が作ったのだと説明した。満足そうに三人はうなずき、二人が遠ざかったあと、

「あの子供はすごいわね。フィン語もしゃべれるし、店で出すパンも自分で焼いているんですって。おまけにこれ、とってもおいしいわ」

と口々に言い合った。そこへ割り込んできたのが、トンミくんである。

「ほら」

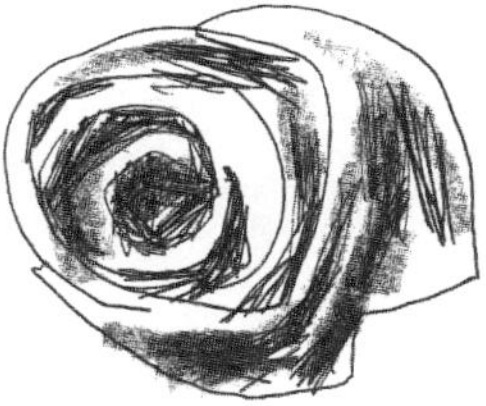
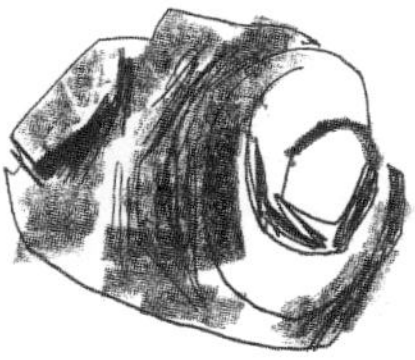

三人はいぶかしげに見た。

「ミカ・ハッキネンって、日本語で書いてもらったんだ」

そういいながらノートを開いてみせた。

「ふーん」

特別、感動はないようだったが、彼女たちが日本人だとわかって、謎がひとつとけたのがうれしそうだった。

「あなたはこの店が開店してから、ずっといるわね」

「そうさ。ぼくがいちばん最初のお客なんだから」

ものすごく得意げであった。どれだけ自分が日本通か、あれこれ自慢したいようだったが、三人には無視されていた。

「とてもいいお店ね。また来るわ」

三人はあながちお世辞ではない様子で、帰っていった。

「よかったですね」

ミドリは思わずサチエに近寄った。

夜になると暇になり、酒を注文する客も来ないので、八時にはアパートに戻った。

交互にシャワーを浴び、パジャマ姿でリビングルームでくつろいでいた。

「本日はお疲れさまでした」

二人は思わずお互いに頭を下げた。

「どうでしたか」

「はい、やる気になりました。メニューもちゃんとしたものを作ります。といっても、サチエさんの邪魔にならないようにですけど」

「邪魔だなんてそんなことないですよ。とてもありがたいです。私のできない部分を補ってもらって」

「できないことだなんて、そんな。サチエさんは何でもできるじゃないですか。うらやましいです」

「私だって、絵が描けて字の上手な人はうらやましいですよ」

そういいながら、サチエは正座をして、上半身の体勢は崩さず、膝で前に進んだり、後ろに戻ったりしはじめた。ミドリがびっくりして見ていると、

「これ、合気道の膝行法《しっこうほう》っていうんです。座り技の基本なんですよ」

「毎晩、やってるんですか」

「子供のころからやってるから、癖になっちゃって。たまにやらないときがあると、体が気持ち悪いんです」

「私も昔、ヨガをちょっと習ったことがあるんです」

どことなく気分が高揚していたミドリは、床に尻をついて、ぐいっと右足を上げた。そして足首を持ち、首の後ろに持っていこうとする。サチエはあわてて、

「だめだめ、無理しちゃいけません。筋を痛めますよ」

とやめさせようとした。

「いえ、一度だけ成功したことがあるんです。これをやると、ヨガをやったなっていう感じがして……」

「それはそうでしょうけど、やめたほうがいいです。ふだん、ヨガはやってるんですか」

「いえ、十五年ぶりです」

「えー、それはだめですよー」

サチエが懸命にやめさせようとしているのにもかかわらず、ミドリは右足をむりやり首の後ろに持っていった。

「ほらね、できました」

たしかに体勢的にはそうなっているが、足を無理に首にひっかけているので、ミドリの息は必要以上にはずんでいる。

「わかりました、わかりましたから、すぐに元に戻してください。無理しちゃいけませんよ。そーっとですよ、そーっと」

サチエはぐるぐるとミドリの周りを回った。

「ああっ」

ミドリが叫んだ。

「どうかしました？」

「は、はずれないっ」

「ええっ」

サチエは焦った。ふだんやり慣れているのなら、体も股関節も柔らかくなっているが、十五年ぶりに、それもこんな無理な体勢をとったら、どこかおかしくするに決まっている。

「あたたたた」

今度は痛みを訴えはじめた。

「大丈夫ですか、いいですか。ゆっくりはずしますから、なるべく顔を下に向けてください」

「ああ、首と背中が痛い」

「だめだわ。横になったほうがいいかもしれない。静かに倒しますから。大丈夫ですか。痛かったらいってください」

サチエは少しずつ右足を動かした。そのたびにミドリは、

「あいたたた」

とうめく。

「大丈夫ですか」

何度も聞きながら、やっとこさミドリの右足のかかとは首からはずれた。

「はあー」

足がはずれた瞬間、二人は思わず脱力して床の上に大の字になった。

「すみませんでした」

そのままの姿でミドリはあやまった。

「どういたしまして」

サチエもそのままの姿で返事をした。

「もうヨガはやらないでね」

それから一週間、ミドリは右足の股関節がやたらと開いたような気分だった。日本から遠く離れたフィンランドで、四十歳を過ぎた年齢をあらためて感じたのであった。しばらくの間、ミドリは股間からサロメチールの匂いをさせていたが、半月、ひと月と経つうちに、二人の息はぴったり合ってきた。無料奉仕のつもりだったのに、サチエはささやかながらミドリにアルバイト代もくれた。最初はやや消極的だったミドリも、サチエの仕事のフォローをしようと、意見をいろいろというようになった。市場への買い出しは二人で行く。荷物持ちとアパートの消耗品補充担当は自分とミドリは役割を決めていた。

「とてもこの量は、食堂の買い出しとは思えませんね」

市場で買い物をするたびに、つい口に出てしまう。たしかに店をやっているというよりも、ちょっと人数が多い家族の一日分といった感じだ。

「冷凍できるものもありますからね。でも少ないかも」

「あのう、居候の私がいうのも何ですけれど、サチエさん、少し考えたほうがいいんじゃないでしょうか」

「どういうことをですか」

「もうちょっと欲を出してもいいんじゃないかなって。ボランティアじゃないんですから。お金のことは私が立ち入る問題じゃないですけれど、店が大にぎわいっていうことはないですよね。何が何でも繁盛すればいいとも思わないんですけれども、今の状態だと持ち出しが増えるばかりじゃないんでしょうか。あの、まあ、そんな状態のところに、私が居候しているっていうのも、問題なんですけれど。言葉もまだ覚えられないから、役にもあまり立てないし」

サチエは黙ってにこにこ笑っている。

「すみません」

ミドリはパレコッパを持ったまま、ぺこりと頭を下げた。

自分も何かの役に立てばと、店が終わってアパートに帰ると、ミドリはサチエに積極的に提案した。

「おにぎりなんですけど。サチエさんはいつもこれを勧めますよね」

「いちばんみんなに食べてもらいたいんですけどね」

「そのわりには、人気がない」

「いまひとつね」

「やはり、ここはですね、フィンランド人に受けるようなものにしたほうがいいと思うんですよ。だってほら、日本のおにぎりだって、コンビニで売るようになって、若い人向けにマヨネーズであえた具が使われたり、唐揚げやカツが具になったりしてるじゃないですか」

「うーん」

　サチエは渋っている。

「日本の若い子が、おかかや昆布や梅干しに興味を持ってないんですもの。外国人ならなおさらですよ。この間、市場に行ったときに、ちょっとひらめいたんで、書いておいたんです」

　ミドリはノートを見せた。そこにはいろいろなおにぎりのイラストが描いてあった。サチエは思わずのぞき込んだ。

「やはり地元の人が好きな具材を使ったほうがいいと思うんですよ。鮭はなじみがあるからよしとして。ほら、こういうのはどうでしょうか」

　天むすからヒントを得たのか、天ぷらにしたザリガニをのせた、ザリガニおにぎり、ヘラジカ肉のシカおにぎり、地元の人が好きなニシンを使った、ニシンおにぎりのイラストの横にはそれぞれ、「rapu」「hirvenliha」「silakka」とフィン語で書いてあった。

「やはり、地元の味覚に歩み寄るっていうのも必要なんじゃないでしょうか」

　ミドリは我ながら、こんなに積極的になっている自分は今までなかったと思った。そういう環境にいなかったこともあるし、自分でもそうしなかった。でもなぜかここでは、サチエの役に立ちたかったし、自分でも何かやりたくなっていた。

「わかりました。じゃ、次の休みの日に、試作しましょう」

　日曜日、二人は買い出しをしておいた食材で、おにぎりを作ってみた。キッチンの小さなテーブルの上に、おにぎりが並んだ。ザリガニは天むすふうに、シカ肉はクリーム好きの地元の人に合わせて、マヨネーズクリームあえ。ニシンはあっさりと酢漬けにしょうゆを少したらして中にいれた。ひとつずつ試食していった。

「天むすはエビのしっぽがぴんと出てるから、何とか格好がつくけど、これじゃあ何だかよくわからないなあ」

「そうですねえ。まさかザリガニ一匹をおにぎりに刺すわけにはいかないし」

次はサチエがいちばん難色を示していたシカおにぎりである。

「いくらこちらの人がクリーム系が好きでも、ちょっとこれは……」

サチエが顔をしかめるのに対して、ミドリは、

「いや、意外といけるかもしれませんよ」

と積極的になった。

「そうかなあ」

「本当にこちらの人はクリームソースが好きですからねえ。日本人はだめでもフィンランド人にはいいのではないでしょうか」

「うーん」

サチエは首をかしげている。

「ニシンは塩漬けの塩出しが問題ですね。でもおにぎりとは相性がいいですよ」

「うーん、でもやっぱり生臭い感じがするわねえ」

「じゃあ、もっと塩出しをして、フライにしますか」

どちらにせよ、サチエは積極的ではなさそうだった。

「だめ、ですかね」

おそるおそるミドリは聞いた。

「だめっていうより。おにぎりって日本人のソウルフードなんですよ。それをここで食べてもらうっていうのも、難しいのかもしれないけど、あまりアレンジするのもどうかって思うんです。やっぱりおにぎりは、鮭、おかか、昆布、梅干しなんです。日本にいても、どこにいても」

サチエは背筋をぴんと伸ばして、ミドリを見た。サチエはどこにいても、ふらふらと人の言葉に惑わされたりしない、自分を持っているのだろう。儲《もう》け第一主義の人ではないのだ。ミドリはこれらの試作が、新たな展開を見せず、これで終了と納得した。

「すみません。調子にのってでしゃばっちゃって。何とかして居候じゃなくて、役に立ちたいなって思ったので……」

「十分、役に立ってますよ。今日のことだって、ミドリさんがいってくれなかったら、自分でこんなふうにしてみないし。おにぎりじゃなくても、他のところで役に立ちますよ」

「ありがとうございます」

二人はほっとして、コーヒーを飲んだ。

「お疲れさまでした」

挨拶をしてそれぞれの部屋に解散である。サチエは店の今後について考えていた。ミドリのいうように、売り上げも考えたほうがいいのかもしれない。でもそれを第一にはできない。みんなが楽しみにやってきてくれて、楽しく食事をして、楽しく帰ってくれればいいと思っている。たしかに店はいつも大繁盛しているわけではない。けれども、店で出しているどんなものであっても、コーヒーであっても紅茶であっても、パンであってもお菓子であっても、それを口にいれた人たちは、必ずまた来てくれている。その人が友だちを誘って来てくれたりして、少しずつ客は増えているのは間違いなかった。それは店に対する信頼だった。派手な宣伝も広告も打ってないけれども、近所の人たちが来てくれる。

「この間食べたシナモンロールがおいしかったから、また来たわよ」

といってくれるおばちゃんがいる。そんなことで満足している自分は、商売人としては失格なのかもしれないが、サチエはそういう小さなことがうれしかった。

ミドリはサチエの後にバスルームを使い、リビングルームに行った。寝る前に見たい本があり、本棚に手を伸ばすと、サチエの部屋のドアがほんの少し開いていた。何気なく中をのぞくと、ロンパースを着た後ろ姿のサチエがトランクを開けている。

「！」

思わずミドリは息をのんだ。そのトランクの中には、米ドルと一万円札がぎっしり詰まっていた。そっと本を取り、足音をたてないようにして、部屋に戻った。その本を抱えてミドリは部屋の隅にうずくまった。

「あれは……、間違いなく……、間違いなければ……間違いない……」

胸が高鳴った。あれはどう見ても、こども銀行券ではあるまい。

「ものすごーく、お金持ちだったんですねっ。サチエさんっ」

そのお金の出所が何であろうと、サチエがここで食堂をやっていることには変わりはない。サチエが儲けにかじりつかない理由もわかったが、その一方で、ごてごてせずすっきりとしたあのシンプルな店を思いだして、サチエの心持ちがとてもよくわかった。もっと派手にできるのに、もっと華々しく宣伝の手を打つことだってできるのに、あんなにひっそりと仕事をしている。

「ついていきます。私は」

ミドリはそうつぶやいて、ベッドの中にもぐり込み、日本にいる兄に、無事、国立ムーミンフィンランド語専門学院には通っているので、安心して欲しいとハガキを書いた。

翌日、ミドリが目を覚ますと、先に起きていたサチエが、

「歯磨きがなくなってましたよ」

と非難するふうでもなく、歯磨きのチューブを差し出した。

「あ……、すみません。おにぎりのことで頭がいっぱいになっちゃってて」

体が縮こまる。

「なので、これで磨いてくださいね」

小さなガラスの器にいれたベーキングソーダを、ミドリに手渡した。

「すみません、今日、買っておきますから」

「はーい」

サチエは気にもとめていない様子で、ロンパース姿から普段着に着替えた。ミドリは朝食を食べると、急いで歯磨きとトイレットペーパーを買いに、スーパーマーケッ

トに走った。アパートの雑貨補充も終わり、二人はリビングルームでぼーっとしていた。

「今日は何か予定してます？」

サチエはミドリに聞いた。

「いいえ、何も」

「サウナに行きませんか。そこで悪い血を取ってくれる人がいるんですよ」

「悪い血って、どうやって取るんですか」

「さあ、私も聞いた話なので、行ったことがないんですよね」

日本でも悪い血が溜まったところに、ヒルを吸い付かせて吸い出すという方法を聞いたことはあるが、ここでもヒルを使うのだろうか。

「痛いんでしょうか」

「さあ、結構行く人が多いって聞いたから、そんなに痛かったら、行かないんじゃないかなあ」

「そうですよね」

痛かったら嫌だねといいながら、二人は悪い血を取ってくれるサウナに連絡をして、予約をいれた。そこでは感じのいいきれいな女性が、にこやかに迎えてくれた。ヒルは出てこない雰囲気であったが、それでも安心はできない。サチエとミドリはサウナの中で、知らない原っぱにほっぽりだされた鳥の雛みたいに寄り添っていたが、意を決して悪い血を抜く施術に入った。簡易ベッドにうつぶせに寝るように指示されたサチエは、おとなしく指示に従った。いわゆる吸玉療法で、カップの中にアルコールを塗って火をつけて、真空状態にする。それを背中にいくつも置いて、体内にある悪い血を吸い上げさせる。その後は内出血と吸引の跡で、まるで怪獣の背中のようになってしまうのであった。

「あははー」

二人はお互いの背中を見て笑った。

「見かけはともかく、何だか体が軽くなったような気がする」

サチエは両肩をぐるぐると回した。

「そうですねえ、すっきりした感じですね」

「でも、悪い血が出たっていうことは、血が減ってるっていうことですよね」

「たしかに」

「貧血にはならないのかしら」

珍しくサチエは心配そうな顔をした。

「減ってるわけ、ですからねえ。損失補塡はどうなってるんですかねえ」

二人はうなずき合い、

「ともかく損失補塡をしよう」

と意見が一致して、その夜は家で肉を焼いて食べた。

翌日、二人が店に行くと、すでにトンミくんが待っていた。いつものように、

「サチエサーン、ミッドーレサン」

と大声でいいながら手を振る。

「こんにちは」

サチエの態度は変わらないが、ミドリは心情的にいい方がきつくなる。

「ワタシハハヤイデスカ。イエハヤクナイデス。ソウデスカ、コレデイイデスカ」

「まだ、お店は開いてないですよ」

たしなめるようにミドリがいうと、彼はきょとんとしている。

「はい、どうぞ」

サチエがドアを開けると、彼はスキップをするように、うれしそうに店内に入っていき、指定席に陣取った。もちろん今日も、サービスのコーヒーつきである。

「サチエさん、大丈夫ですか。私、ずっと経理事務の手伝いをしていたので、いえ、経理事務をしていない人でも、この状況を見たらわかります」

狭い厨房の中で、腰をかがめてミドリは忠告した。

「いいじゃないですか。コーヒー一杯くらい」

「一杯くらいっていったって、私がここに来てから、ずいぶんただで飲んでますよ。だいたいあの人、長《なが》っ尻《ちり》で他に何も頼まないじゃないですか。頼んだとしても紅茶のティーバッグひとつで。あとは飲んだらお湯をもらって薄めて飲んで。普通はもうちょっと気を遣うと思うんですけどねえ」

後をくっついて忠告するミドリをかわすように、サチエはひらりと厨房を出て、彼の前にコーヒーを置いた。

「学生さんだから、お金がないんですよ」

そのときトンミくんは、鞄の中から大切そうに何かを取り出し、手のひらの上にのせて、二人に近づいてきた。

「ホラ、スゴイデス。トテモスゴイデス。ミテクダサイ」

二人が目をやると、それは日本で発行された、ガッチャマンの切手だった。日本で発売されたと聞いて絶対に欲しくなり、インターネットで買ってくれそうな日本人を探しまくって、やっと手にいれたのだという。

「ニホンノヒト、トッテモシンセツデス。カッテクレタヒト、ロクジュウゴサイノ、オトコノヒト。ウレシイデス」

その六十五歳の男性とは顔見知りでも何でもなく、インターネットの掲示板でたまたま知り合ったのを、切手を買って送って欲しいと泣きついたらしい。

「タカラモノ。スバラシイデス」

顔を紅潮させて喜ぶ彼に、ミドリは、

「ああ、よかったわね」

と気のない受け答えをした。

「ちゃんと御礼をいいましたか」

さすがにサチエは礼儀にうるさい。

「ハイ、オレイノメールヲ、オクリマシタヨ。クリスマスニハ、カード、オクリマス」

「そうですね、そうしてあげてください」

「ハイ」

彼は大切そうに切手を鞄にしまった。席に座っても、切手を出してはしまい、出してはしまうを何度も何度も繰り返して、喜びにひたっているようだった。

顔見知りになった客が何組も来てくれたその日の夕方、ふと視線を店の外に向けると、窓のガラスごしに五十代後半と思われるおばさんが立っていた。興味があって見ているというよりも、にらみつけているという感じに見える。それに気がついたミドリが、隣でサラダを作っていたサチエに、

「サチエさん、外、外」

と声をかけた。

「えっ」

顔を上げたサチエも、何かに怒っているかのように、店内をにらみつけているおばさんの姿を見た。

「どうしたんでしょうね、あの人」

不思議に思っていると、二人と目が合った。店内からにっこり微笑んでも、彼女はむっとした表情のまま。そしてぷいっとその場から立ち去っていった。

「どうしたんでしょうか」

ミドリは首をかしげた。

「さあ。お店には来たことがない人だわ」

「でも怒っているみたいでしたね」

「そうねえ、どうしたのかしら」

どちらにせよいい気持ちではない。その夜、アパートに帰っても、そのおばさんのことが気になって仕方がなかった。

いつものように午前中からトンミくんを迎え、二人は仕事をこなしていた。サチエも退屈しのぎにグラスを拭いている時間がなくなり、忙しく立ち働いている。明らかに開店当時から比べると、客数も増えてきたが、おにぎりだけは評判がよろしくない。ミドリも最低限のフィン語を覚え、つたないながらも少しずつ会話ができるようになってきた。そうなると一日が終わるのが早く、あっという間に夕方になる。グリンピースのスープを盛りつけて、ふと外を見たミドリは、昨日の仏頂面のおばさんがまた外に立っているのを見つけた。それだけでなく、少し離れたところで、東洋人らしい小柄な中年の女性も一人、店内をのぞいている。

「うわあ、一人増えてる」

ミドリは思わずレードルを持ったまま、のけぞった。

「どうしました」

サチエがやってきた。

「ほら、外、外です」

仏頂面のフィンランド人のおばさんと、東洋人のおばさんが並んで立っている。二人とも笑うことなど忘れてしまったような表情だ。

「いらっしゃいませー」

思わず二人とも日本語でつぶやきながら、心の中を押し殺し、にっこりと微笑んでみた。しばらくフィンランド人のおばさんはたたずんでいたが、仏頂面のまま立ち去った。東洋人のおばさんのほうは、ドアを押して中に入ってきた。

「いらっしゃいませ」

どこの国の人かわからなかったが、ミドリは思わず日本語で声をかけた。

「あ、ど、どうも、こんにちは」

日本人だった。彼女は空いているカウンター席に静かに座った。相変わらず表情は暗い。

「こちらがメニューになっております」

ミドリが差し出すメニューをよく見ずに、

「コーヒーください」

と小声でいった。

「はい、わかりました」

サチエは明るくいった。声をかけていいやら悪いやら、ためらったミドリは、余計なことはいうまいと決めた。彼女の雰囲気から放っておいたほうがいいような気がしたからだった。

「お待たせしました」

新しく客がやってきたので、応対をしているミドリに代わって、サチエがコーヒーを彼女の前に置いた。

「あの……」

「はい」

サチエは次の言葉を待った。

「バゲッジが着かないんですっ」

彼女はカウンターに突っ伏した。

「えっ？」

何の前触れもなく突然いわれたので、サチエは一瞬、きょとんとしたものの、気を取り直し、

「大変でしたね」

と声をかけた。

「乗り換えのときに、よく無くなるっていう話は聞いていたんですけど……」

「外国の航空会社は適当ですからねえ。いつこちらに着かれたんですか」

「三時間ほど前です。来たとたん、荷物が。あの中に全部入っているので。いちおうホテルの部屋にはチェックインして、航空会社からはお泊まりセットみたいなものをもらったんですけど……。なんだか申し訳なさそうにもしてないので。がっかりしちゃって」

「そうですよね。困りますよね」

サチエは不便さを想像して、心から同情した。

「航空会社もちゃんと捜してくれると思いますよ。いつまで滞在の予定ですか」

「…………」

返事はなかった。じっと彼女の顔を見ていると、しばらくして、ぼそっと、

「決めてないんです」

という。

「観光ではなくて」

「それも、最初はしたいんですけど。その後のことは決めてないんです」

「日本からいらっしゃったんです、よね？」

「そうです」

いまひとつ事情がよくわからず、サチエはどうしたものかと考えた。

「サチエさん、コーヒーとムンッキ。おにぎりはだめでした」

「はい、わかりました」

彼女が気になったものの、仕事をしなくてはならず、ドーナツを揚げている途中で、

彼女は帰っていった。

「よろしかったら、また、いらしてください」

ミドリが声をかけると、彼女は軽く会釈をして、とぼとぼと帰っていった。

翌日も午後になると二人は落ち着かなかった。

「今日も来ますかねえ」

「どちらが？」

「二人とも」

「日本人のほうは来るかもしれないけど、フィンランド人のほうはどうかしらねえ」

来ても来なくても気になる。仕事に追われた夕方、ふとひと息ついた時間に、日本人のほうがやってきた。昨日と同じように表情が硬い。

「いらっしゃいませ」

「こんにちは」

同じ服装でカウンターの同じ席に座った彼女は、コーヒーを注文して黙っていた。

そしてサチエが声をかけようとしたとたん、

「やっぱり届かないんですっ」

とカウンターに突っ伏した。

「どうしたんでしょうねえ、いったい」

そういいながらサチエは顔を上げさせた。

彼女は黙って首を横に振った。

「日本語ができる担当の人に、電話をかけることになってるんです。私もホテルにずっといると気持ちがふさぐので、外に出てるもので」

彼女は店の時計を見上げた。

「どうぞ、ゆっくりしていってください」

彼女はうなずいた。そして何気なく外に目をやったサチエは、例の仏頂面のフィンランド人のおばさんが、じーっとこちらを見ているのと目が合った。

「わっ」

と驚きつつ、にっこり笑って会釈をしても、彼女はぷいっと立ち去っていく。まただと思いつつ、目の前を見ると、そこには暗い表情の日本人のおばさんがいる。

(いったいどうしたもんかしら)

サチエは悩んだ。

おばさんはバッグの中から携帯電話を取り出して、電話をかけた。

「あの、バゲッジのことなんですけど。えっ、バゲッジがですね、着かないんです。見つかりましたか？　名前？　シンドウマサコです。マサコシンドウです。えっ？あ……そうですか……。はい、わかりました」

力なく電話を切った。いい方向に向かってないことは、二人にもよくわかった。

「何か困っていることはありませんか。もしあったら、いってください」

サチエは声をかけた。

「ありがとうございます。あと一日、二日くらいは大丈夫かなって思うんですけど」

いくら湿気がない土地だからといって、ずっと同じ服を着続けるというのも、気分のいいものではないだろう。

「着替えとか、大丈夫ですか。もしよかったら……私の……」

「私のもよかったら、お貸しできますから」

シンドウマサコといっていた女性は、二人の顔を交互に見て、

「ありがとうございます」

と頭を下げた。

「ごめんなさい、名乗る前にお店でどたばたしてしまって。シンドウマサコといいます。五十歳……です。ふふ」

　彼女は照れたように笑った。

「何をしたいかもわからないのに、つい、ここに来ちゃったっていう感じで。いい歳をしてこんなことしてていいのかなって、着いてやっとわかったような。荷物がどこかにいっちゃったのも、私のはっきりしない気持ちに、『おまえなんか、来るんじゃないよ』っていわれたような気がして……」

　そういってマサコはうつむいた。

「そんなことないですよ。仕事でやる気まんまんの人だって、荷物は無くなります」

「そうです。荷物が無くなったのと、それとは関係ありません」

　サチエとミドリは暗い表情のマサコを慰めた。

「そうでしょうかねえ。何も目的がないのに、この歳になってただふらっと外国になんか来ちゃうっていうのが、身の程知らずっていうか、無防備っていうか。おまけに私、英語もフィンランド語もできないんですよ。なのに、変ですよね」

「全然、変じゃないですよ。歳なんか関係ないじゃないですか」

「そうですよ。私だって英語はろくにできないし、フィン語だってぜーんぜん、わからないんですから」

「でも、あなた方はまだお若いし。私は結婚せずにこの歳まで、ずっと親の面倒を見てきたものだから。頭の中が社会的になってないんですねえ、きっと。それが両親が次々に亡くなって、日々することがなくなったら、もう、自分でもよくわからなくなっちゃって」

「旅行だって結婚だって、いくつになったってできますよ。歳で区切っちゃいけません」

サチエはきっぱりといった。

「そうですねえ。だといいですねえ」

しばらくマサコは黙ってコーヒーを飲んでいた。そして飲み終わると、

「ごちそうさまでした」

と頭を下げて店を出ていこうとした。

「マサコさん、よかったら明日もまた来てくださいね」

サチエが声をかけると、

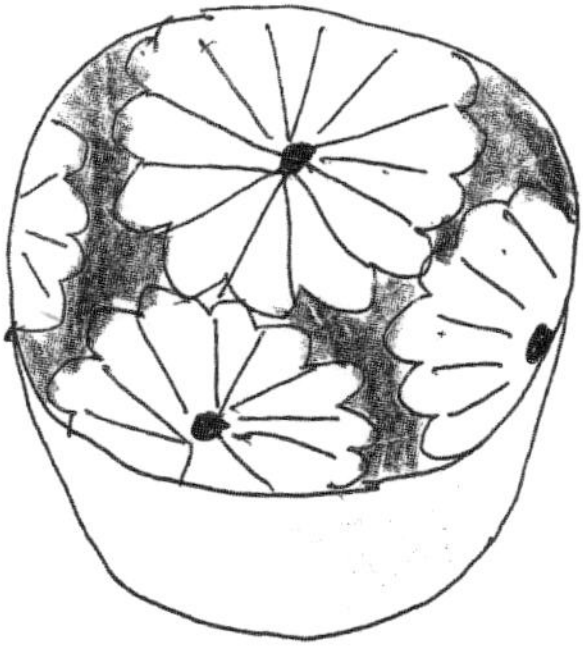

「ありがとうございます」

ともう一度頭を下げて帰っていった。

「相当、わけありでしょうか」

ミドリがささやいた。

「荷物が無くなったばかりが、原因じゃないみたいね」

少しでも彼女の心配事がなくなるように、早く荷物が見つかりますようにと、二人は願った。

翌日、また午後がやってきた。フィンランド人のおばさんはまた来るのだろうか。

「賭けます？」

「また、そんなことをいって」

といいながら、二人はチョコレートを賭けることにしたが、双方、

「おばさんは来る」

と主張したので、賭けは成立しなかった。最初に姿を現した時間とほぼ同じ時刻に、外に目をやると、どどーんとおばさんは立っていた。

「わあっ、やっぱり」

来るとふんでいながら、実際、来られるとやはりたじたじとなる迫力だ。相変わらず仏頂面でこちらをにらんでいる。

「何なんでしょう。恨みでもあるんですか。もしかして前の持ち主とトラブルがあったとか、そういう話なのでは」

「それはないはずよ。確認したもの」

「でもあの目つきですよ。何だか夢に出てきそうですよ」

最初は不思議がっていたミドリも、怖がるようになった。一方、サチエはにっこり笑って会釈をした。おばさんはじっと彼女の顔を見つめていたが、いつものように立ち去った。

「店に入らないんだったら、あんなににらみつけることなんか、ないじゃないですか。営業妨害ですよ。サチエさんがあんなに愛想よく迎えてあげてるのに」

ミドリはぷんぷん怒り出した。

「全く、何を考えているのかわかりませんよ」

ミドリが機嫌を悪くしたのがわかったトンミくんは、

「ミッドーレサン、ドシマシタカ」

とたずねたが、

「何でもありませんよ！」

ときっぱりいいきられて怯《おび》えていた。

入れ替わりに、暗い顔でマサコがやってきた。同じ服装を見て、ああ、荷物が届かなかったのだなと、二人は同情した。

「ご覧の通り、まだ着かないんです」

マサコはカウンター席に座った。

「あと三十分くらいしたら、電話をすることになってるので。すみません。それまでまたお邪魔します」

「どうぞ、どうぞ。それまでなんていわないで、ずっといてくださってかまいませんよ。そうだ、シナモンロール、召し上がりませんか。お嫌いじゃなかったら」

「ありがとうございます。じゃ、いただきます」

コーヒーとシナモンロールを食べているマサコを見て、この暗さをなんとか明るくできないかと二人は考えた。そして同時にトンミくんを見た。このなーんにも考えてない、日本かぶれのトンミ・ヒルトネンくんとだったら、くだらない話でも気がまぎれるのではないか。ミドリが手招きすると、彼はひょいひょいとやってきた。

「マサコさん、彼はトンミ・ヒルトネンくんといって日本がとても好きなんです。『かもめ食堂』のいちばん最初のお客さまなんですよ。日本語もこちらで少し習ったので、会話もできますし。よろしくお願いします」

　サチエが紹介すると、青年は、

「マサコサンデスカ。ワタシハ、トンミ・ヒルトネンデス。ドゾヨロシク」

　と握手をした。

「よろしくお願いします。日本語お上手ですね」

「オジョウズ、ハイ、オジョウズデス？　イエ、ソウデハアリマセン。モットベンキヨウノヒツヨウガアリマス」

「偉いですねえ」

「ニホンゴ、ムズカシイデス」

「外国の方にはそうみたいですね」

「ミッドーレサンガ、ワタシノナマエヲカイテクレマシタ。カンズデ」

「漢字ですよ」

ミドリの声を聞きながら、彼はわざわざ鞄からノートを出してきてみせた。

「あら、本当」

「ベンキョウシマシタヨ」

他のページには、漢字で書いてもらった自分の名前を真似して、「豚身昼斗念」と何度も何度も練習した跡があった。

「字も上手ですねえ」

「アリガトゴザイマス」

二人の会話が進んでいるので、いいぞ、いいぞと思っていた二人は、彼がいった次の言葉でがっくりした。

「マサコサン、ガッチャマンハスキデスカ」

「えっ、ガッチャマンですか。知ってはいますけど……。特には……」

明らかにマサコはうろたえていた。

「また、ガッチャマンですよ。こんなときに」

ミドリは顔をしかめてサチエにささやいた。

せっかく会話がスムーズに運んでいたのに、ガッチャマンでぶつっと途切れてしまった。

「ハウス」

ミドリは小声でトンミくんに命令し、彼の定位置を指差した。彼はすごすごと奥のテーブル席に戻っていった。どうしたもんかと二人が気を揉んでいると、マサコは、

「ちょっと失礼します」

と携帯電話を取り出した。サチエとミドリは接客をしたり、調理したりしながら、マサコの荷物の行方が心配になってきた。

「もしもし、マサコシンドウです。はい、そうです。バゲッジ、バゲッジが、えっ、見つかりました。あるんですか、そこに。はい、わかりました。すぐ行きます。どうもありがとうございました」

自分が被害者なのに、彼女は何度も何度も電話の相手に御礼をいい、頭を下げていた。

「見つかりました。ありがとうございました。いろいろとお騒がせして」

財布からお金を出そうとするのを、サチエは、

「あ、そのまま、そのままで。どうぞ荷物を取りに行ってください」

といった。

「ありがとうございます。それでは、のちほど」

マサコは昨日、おとといとは全く違う足取りで店を出ていった。二人はほっとして顔を見合わせた。

一時間ほどして、がらがらとカートを引きながら、少し明るくなったマサコがやってきた。

「何とか到着しました。ご心配をかけてすみませんでした。お支払いを……」

というのをサチエたちは断った。

「でもそれではあまりに図々しいというか」

「そんなことないですよ。大丈夫ですから。それよりまた、気が向いたら遊びに来てください」

サチエの言葉にマサコは、

「はい。ありがとうございます」

と何度も頭を下げながら、カートを引いて店を出ていった。

「ひとつは落着しましたね」

「そうね、ひとつはね」

二人の目には仏頂面のフィンランド人のおばさんの顔が焼きついていた。

翌日も仏頂面のおばさんはやってきた。顔つきがなごむ様子もなく、相変わらずガンをとばしている。それでもにっこり笑うサチエに、

「よくあんな目つきの人に笑いかけられますね。私、あのおばさんが斧を持って襲撃してくる夢まで見ましたよ」

とミドリは怒ったようにいった。

「いちおう『かもめ食堂』に興味を持ってくれているみたいだし。そういう人は大事にしないとね。といいながらも、気にはなるけど」

「当たり前です。尋常じゃないです」

「かもめ食堂」へ、サチエとミドリに何の恨みがあるのか、おばさんは毎日、ガンをとばしにやってきた。

一方、マサコのほうは、そのおばさんと入れ違うような時間帯で、店にやってくるようになった。荷物も無事に見つかって、服を着替えている。

「いろいろと市内を見ましたか」

「ええ、でも一日いたら、一通り見たっていう感じで」

「そうですね。こぢんまりした街ですから。フィンランドをひとめぐりするっていうのなら別ですけどね。私もそんなことはしてないです」

「同じです」

「お二人はどうしてここで、食堂を経営するようになったんですか」

サチエはマサコにお互いの、現在に至るまでの事情を説明した。

「私も何のあてもなかったんですよ。マサコさんはフィンランドって決めて来たんでしょう。私なんかひどいですよ。目をつぶって指を差したらフィンランドだったんですから」

「差した国で相当違いますよね」

「本当にそうです。どうしてあのとき、そんな馬鹿なことをしたのか、自分でもわかりません」

「人間ってわけもわからずに、馬鹿なことをするときって、あるんでしょうね」

マサコはしみじみといった。

「マサコさんはどうしてフィンランドに来たんですか」

ミドリは荷物が着かないと落胆しているときには、聞きづらかった質問をした。

「テレビで見たニュースがきっかけですね」

「ニュース？」

「そうなんです。日本にいたとき、煮詰まってて。フィンランドのニュースを見て、『いい国だな』って思っちゃったんです。私、親が不動産を持ってて、マンション経営をしてたんです。両親ともあまり丈夫じゃなくて、体の自由がきかなくなって、学校を卒業してからずっと、家事手伝いっていう立場で、両親の面倒を見ていたんですね。もちろんお手伝いの人も頼んでいたんですけど。弟が一人いて結婚したんですが、義理の妹は全然こちらを手伝う気持ちなんかなくて、まあ、年子で双子を産んだものだから、無理な話なんですけどね」

「はあ」

「それで一昨年、去年と母、父と相次いで亡くなりまして。こういっては何ですが、私としては二十何年間の足かせが取れたわけです」

「ご苦労さまでした」

両親を老人ホームに入居させているミドリは、深々と頭を下げた。

「これで第二の青春がはじまるわと思った矢先、弟の馬鹿が事業に失敗しまして、マンションと彼の自宅が抵当に入っていて、それを取られてしまうことになりました」

「あらー」

「マンションを抵当にいれているのは、全然知らなかったもので。不幸中の幸いだったのは、両親が亡くなっていて、それを知らなかったことです」

「で、全部取られちゃったんですか」

「残ったのは私と両親が住んでいた家と、両親が投資のために買っておいた、古いワンルームのマンションだけです。で、弟は私に、「出ていってくれ」というわけなんです。自分たちは六人家族だからって。人数が多いほうが広い家に住むのは当たり前だっていうんですよね。たしかに八畳足らずのワンルームに六人は無理ですけど」

「でも、自分の責任でそうなったのに、そんなことをいわれてもねえ」

「甘やかされて育ってきましたからね。お金はどこかから回ってくると思ってるんですね。きっとマンションと自宅を抵当にいれるときも、住むところは確保してるからって、安心してたんじゃないんですか、今から思えば。私にはひとこともありませんでしたけど」

マサコは淡々としていた。

「で、私は荷物を処分して、ワンルームに引っ越したんです。別に一人だけですから、狭くても掃除に便利だからいいんですけど。よーく考えると腹が立つんです」

「当然です」

二人はうなずいた。

「夜、一人でいると腹が立って仕方がなくなるんです。どうして私がここにいなくちゃいけないのって。住んでいるところの広い、狭いじゃないんです。たしかに家賃を払う必要もないし、他の人から見たら恵まれているんでしょうけど。どこか納得できなくて」

「当然です」

「で、これはひとことといってやらねばと思って、弟の家に行って、『あんたのおかげでくさくさするから、気晴らしに旅行に行ってくるわ。しばらく帰らないから放っておいてちょうだい』って、怒鳴ったんです。ちょっとすっきりしました」

「それがフィンランドなんですね」

「父のオムツを換えているとき、テレビでフィンランドのニュースを何度も見たんですよ。『エアーギター選手権』『嫁背負い競走』『サウナ我慢大会』『携帯電話投げ競争』でしたね。いちばんすごかったのは、『嫁背負い競走』です。ふつうに考えると、おんぶすると思うでしょう。それが違うんです。奥さんの両膝を後ろから自分の両肩にひっかけて、ものすごい速さで走るんですよ」

「ということは奥さんは逆さ？」

「そうなんです。もう両腕なんかぶらぶらしちゃって。それを見て、こんなことを一生懸命にやる人たちって、いいなあって思ったんです。どこかすこーんと抜けてるっていうか。妙なしがらみなんかが全然なさそうで。人生がとても楽しそうだったんです。で、来ちゃったんですけど……」

マサコはすまなそうな顔になった。

「でも、失敗だったかも」

「どうしてですか」

「サチエさんは、目的があるじゃないですか。でも私は何もない」

「目的がなくてもいいんじゃないですか。ただ、ぼーっとしていればいいんですよ」

「その、ぼーっというのができないんですよね。自分ではぼーっとしているつもりでも、あれこれ考えてしまって、頭の中から鬱陶しいことが抜けていかないんです」

「来たとたんは無理ですよ」

「そうそう、フィンランドモードに切り替わってないですから。鬱陶しいことは忘れましょう。あまり深く考えないで、のんびり過ごせばいいんですよ。うちに来ていただくのは大歓迎ですから、いつでもいらしてください」

サチエがそういうと、マサコは明るい顔になって、

「そうですね、ありがとうございます」

と頭を下げた。

「ホテルのサウナ、ちょっと気に入ってるんです」

そういって帰っていった。

それからマサコは、毎日やってくるようになった。午後五時前、客足も少し遠のき、三人であれこれ話をしていると、例の仏頂面のおばさんが姿を現した。最初に出現してから一週間連続だ。ミドリがサチエの脇腹を突っついた。

「あら、本当だ」

いつものように彼女がにっこり笑うと、何とおばさんは仏頂面のまま、ドアを押し

て店の中に入ってきた。

「わわっ」

ミドリは小声で叫んで、壁にへばりついた。おばさんは表情を一切変えず、マサコのひとつ空いた隣の席に座り、

「コスケンコルヴァ！」

とつっけんどんにいった。サチエはにっこり笑って、グラスにコスケンコルヴァを注いで目の前に置いた。サチエもミドリも息をのんでいると、おばさんはじっとグラスを見つめている。すぐに飲むわけでもなく、手にしたバッグの中をのぞいたり、店の中をきょろきょろ見まわしたりして落ち着かない。するとバッグの中からお札を取り出して、カウンターの上に置いたかと思うと、すっくと立ち上がって、そのまま店を出ていってしまった。

「あの、あ、あの」

あわててミドリがグラスを手に後を追ったが、おばさんは走り去っていった。

「どうしたんでしょうか」

マサコは不思議そうな顔をした。

「一週間前からずっと店の外からのぞいてたんですよ」

　ミドリが不安そうな顔をした。

「どうしたんですかねえ」

　サチエはそっとグラスに入ったコスケンコルヴァを片づけた。

　翌日、またおばさんはやってきた。サチエもミドリも何事もなかったかのように、明るく接した。おばさんのほうも何事もなかったかのように、仏頂面のままカウンター席に座った。緊張して見ていると、彼女は、

「コスケンコルヴァ！」

　とつっけんどんにいい、指を二本立てた。

「二杯ですか」

　とサチエが確認すると無言でうなずく。そこへ、マサコがやってきた。

「たびたびお邪魔します。このお店の居心地がよくて」

　カウンター席に近づいたところ、例のおばさんの姿を見て悟ったらしく、ひとつ隣の席に座った。おばさんの目の前には二杯のコスケンコルヴァが並んだ。昨日と同じようにすぐに手を出さず、じっと眺めている。ミドリはこれからいったい何が起きる

のかと、胸がどきどきしてきた。マサコもコーヒーを飲みながら、横目でちらりちらりと観察していると、おばさんは仏頂面のまま、グラスをぐいっと握り、がっと一気にあおった。

「あ」

と一同が驚いているのも束の間、二杯目もぐいっとあおった。

「あらら」

と一同が焦っていると、

「ウーン」

とうなってそのまま椅子ごと後ろに倒れてしまった。

「ああっ、大変」

幸い客はトンミくん以外いなかったので、すぐに閉店の札を出した。ミドリが急いでその場にタオルを敷き、おばさんを寝かせた。トンミくんはびっくりして目をまん丸くしている。マサコが厨房の中に飛び込んで、グラスに水をいれてきて、おばさんに飲ませた。サチエが、

「病院に運んだほうがよくないかしら」

とつぶやくと、それをトンミくんがおばさんの耳元で通訳した。おばさんは、体を起こそうとしながら、いやだいやだというように手を振る。トンミくんは彼女の意思を確認して、

「イヤトイッテマス。ワタシハイエニカエリタイトイッテマス。バショハ、イマキク。スグニワカリマス」

といった。三人は車を拾っておばさんを家に送り届けた。都心部から十五分ほどのところで、家の周囲には緑が広がっている。ここに住んでいれば、悩み事なんてすべてすっとんでしまうだろうといいたくなるようなところだ。トンミくんは彼女をベッドに寝かせてくれ、

「ココデサヨナラデス」

と帰っていった。はじめてトンミくんが役に立った瞬間であった。おばさんの家はしーんと静かで他に誰もいなかった。広い家なのにあまり片づいておらず、空気がよどんでいた。花瓶の花はみんな枯れている。ミドリは大きなコップに水をいれて、おばさんのベッドサイドのテーブルの上に置いた。

「大丈夫かしら」

サチエは掛布団を直しながらいった。

「ごめんなさい。マサコさんまで巻き込んじゃって」

「いえ、平気ですよ。介護は慣れてますし、別に予定もありませんから」

三人はベッドに横たわっているおばさんをじっと眺めた。寝ていても相変わらず仏頂面である。フィン語ができるサチエが、おばさんの容態を確認すると、大丈夫だという。それではと帰ろうとすると、おばさんは半身を起こして、帰るな、帰るなという。仕方なく三人はベッドの周りの床に座った。おばさんは薄目を開けて天井を見たまま、ぼそぼそと話しはじめた。

自分は実は好みのタイプでも何でもなかった今の夫に、懇願され押し切られるような形で結婚した。収入も自分のほうが多かったし、明らかに自分のほうが頭がよかったし、生活の主導権を握っていた。アイスホッケーの試合を二人で見ていて、贔屓《ひいき》のチームが得点するたびに、隣にいる夫のハゲ頭をぴたぴたと叩いて喜ぶのが習慣になっていた。それでも夫は楽しそうにしているように見えた。ところが先日、夫の浮気が発覚した。純朴な夫が罪の意識に耐えきれずに、告白したのだ。

「その瞬間、私はハゲにアッパーカットをくらわせて失神させたわ」

それを聞いた三人は目をきょときょとさせた。

「しばらくして気がついたら、夫は小さな荷物をまとめて出ていったの」

これまでたくさんの、夫の浮気をテーマにしたドラマや映画を見てきた。そのたびに、妻はどうしてこんなことも見抜けなかったのかと、馬鹿にして、冷ややかな目で見ていたけれど、自分のことになると全くわからなかった。夫が白状した不倫相手を見てやろうと、彼女が勤めているキッチン用品を売っている店に行くと、その女性は自分よりも年上だったので、愕然とした。

「私が知っているパターンは、夫の浮気は若い女とするって決まっていたのよ」

自分よりも皺《しわ》やたるみがあり、乳も垂れている女に負けたのがショックだった。子供がいないので、我が子のようにかわいがっていた老犬も、十七歳で夫が出ていった直後に亡くなった。

「友だちは、サウナに入って、汗と一緒に悲しみも流してしまえ、ついでに悪い血も取ってもらえば、体に溜まった悪いものは全部出ていくだろうとか、テントを張って外に寝れば、悪いことはすぐに忘れる、湖に入って泳いだり、浮いたりしていれば気晴らしになるといってくれたけど、そうすればするほど、自分がみじめに思えて仕方がないの。夏の小屋も持っているけど、そこに行くと、あのハゲと一緒にこういうことをした、ああいうこともしたって思いだして、腹が立つうちに悲しくなってきて、めまいがしてくるのよ」

「私たちもサウナで悪い血を取りました」

サチエがいうと、

「ああ、あなたたちも行ったの。ふだんは効くけど、私の苦しみまでは取れなかったわ」

とおばさんはつぶやいた。冬場は気分がふさぐ人も多いけれども、夏になるとみなその鬱憤を晴らすかのように、活動的になる。そんな時季に自分だけこんな気分でいるなんてたまらない。

「テキスタイルの仕事もずっと休み、何もやる気がなくなって、ふらふらと歩いているうちに、あなたの店よ。そう『かもめ食堂』っていったわね。そのお店を見つけて何か気になったの。あなたたち、いつも笑っているわね。それがとても感じがいいの。表面だけの愛想笑いじゃなくて、心の中から笑っているのよね。でもお店にすぐ入る勇気はなくて。意を決して入っても、やけっぱちな気分は晴れなくて、こんなことになってしまったの。コスケンコルヴァはハゲがいつも飲んでいたもので、私はほとんど飲めないのよ」

サチエはずっとおばさんの手をさすってあげていた。

「ほら、そこにイヌの写真があるでしょう。見てやって」

ベッドから指差すほうを見ると、寝室のチェストの上にいかにも駄犬といった風体の、にくめない顔だちのイヌの写真が、写真スタンドに入れられてたくさん飾ってあった。

「かわいいですね」

サチエにかわいいという言葉を教えてもらって、ミドリもマサコも、

「スロイネン（かわいい）」

を連発した。

「そうなの、クッカっていうの。かわいかったのよお」

おばさんはだーっと両目から涙を流した。それは皺に沿って目尻からシーツに流れ落ちた。

「あのハゲのせいで、クッカも死んだのよ。イヌだって長い間一緒にいると、人間と

同じになるでしょう。人間の子供だって父親が他の女と恋愛しているのがわかったら、ショックを受けるに決まってるわ。だからクッカも嘆き悲しんで死んだのよお」

チェストの横にあるゴミ箱に目をやると、夫らしきハゲと二人でにっこり笑っている写真が、ぐちゃぐちゃにされて捨ててあった。おばさんは、えっぐえっぐと嗚咽《おえつ》している。三人は代わる代わる彼女の手を握った。

「これは昨日の分のおつりです。また明日来ますから」

サチエがサイドテーブルにお金を置いた。おばさんは涙をぬぐおうともせずに、小さくうなずいていた。

マサコをホテルまで送り、サチエとミドリはアパートに戻った。

「はーっ」

とため息をつき、仏頂面のおばさんが心に溜めていた黒いものを察して、リビングルームにへたり込んで暗い気持ちになった。

「東京だったらね、ストレスが溜まって、嫌になるっていう気持ちもわかるんですよ。それを、いろいろな癒し系の場所に通ったり、買い物に走ったり、セックスでまぎらわしたりするわけでしょう。でもここはこんなに緑がたくさんあって、車も人も少なくて、息が詰まるなんていうことはないと思うのに。東京に住んでいた人が、田舎暮らしで癒されたなんていっているじゃないですか。人間だから嫌なこともたくさんあるでしょうけど。自然は癒してくれないんでしょうかねえ。ちょっと意外だと思いませんか」

ミドリは首をかしげた。

サチエは膝行法をはじめた。

「自然に囲まれている人が、みな幸せになるとは限らないんじゃないかな。どこに住んでいても、どこにいてもその人次第なんですよ。その人がどうするかが問題なんです。しゃんとした人は、どんなところでもしゃんとしていて、だめな人はどこに行ってもだめなんですよ。きっとそうなんだと思う」

サチエはいいきった。

「そうですね。周りのせいじゃなくて、自分のせいなんですよね」

彼女の姿につられて、足を上げようとしたミドリに向かって、サチエは、

「ヨガ禁止」

と笑った。

次の日、サチエとミドリは早めに起きて、コーヒーを保温瓶にいれ、パンとおにぎりを持っていった。呼び鈴を押しても出てこないので、

「『かもめ食堂』です」

と声をかけると、静かにドアが開いた。おばさんは胸に溜まったものを吐き出しても、仏頂面は直っていなかった。というよりももっと疲れたように見える。それでも二人を招きいれ、

「これが二日酔いっていうのかしら。頭がものすごく痛い」

とキッチンの椅子に座ってこめかみをさすった。

コーヒーを淹れてくれようとするので、サチエはそれを押しとどめて、持ってきた保温瓶からカップにコーヒーを注いだ。

「私は水にするわ」

おばさんは冷蔵庫からミネラルウォーターのボトルを取り出し、けだるそうにグラスで水を飲んだ。サチエとミドリの前にコーヒーが置かれると、

「昨日はごめんなさい。あなたの店に迷惑をかけたでしょう」

と低い声でいった。

「そんなことはないです。お店に他に誰もいなかったし。心配しないでください」

「あなたのお父さんやお母さんにもあやまらなくちゃいけないわね」

「それは……、大丈夫です」

「でも、きっと怒るでしょう。あんなことになって」

「あれは私の店なので、両親は関係ないんです」

「そうだったの。私はてっきり、あなたはあのお店を手伝っているんだと思ってたわ。そうだったの。それはますます申し訳ないわ。若い人のお店であんなことになっちゃって」

おばさんは頭を抱えたので、二人は必死に大丈夫だからと慰めた。

「前はね、私がこういうふうにしていると、クッカがやってきて、顔を舐めて慰めてくれたのよ。優しい子だったの。でも今は誰もいないわ。私一人でこの家にいなくちゃならないなんて。どうしていいかわからないわ」

二人は目配せしながら、おばさんをベッドルームに連れていった。

「ありがとう。少し寝たほうがいいみたいね」

彼女は素直にベッドに横たわった。

「自家製のパンとおにぎりを持ってきましたから、よかったら食べてください」

おばさんはじーっと目の前のおにぎりを眺めていた。サチエが握った鮭のおにぎりで、つやのある海苔《のり》が、白い御飯に巻き付いている。

「この黒い紙はなに？」

「日本の昔からある食べ物です。海草を枠でかためて干したものです」

おばさんはおにぎりには手をつけず、パンをひと口食べて、

「おいしいわ」

といってくれた。

「もし、何かあったら、ここに電話をください。すぐに来ますから」

サチエは「かもめ食堂」の電話番号と、自分の携帯電話の番号を書いた紙を渡した。

「私、名前もいってなかったわね。リーサよ。いろいろとありがとう」

リーサおばさんは最後まで仏頂面のままだった。

店の前ではトンミくんが待っていた。

「タオレタヒト、ドウシマシタカ。ダイジョブデシタカ。シンパイデス」

珍しくトンミくんが神妙な顔をしている。

「昨日はありがとうございました。トンミくんがいてくれたので、助かりました」

「ドイタシマシテ。ヨカッタデス」

ちょっと彼の株は上がった。リーサおばさんの家に寄ってきたことを話すと、彼はうんうんとうなずいていた。ミドリも今日のコーヒーくらいは、ただで飲ませてあげてもいいなと思った。なじみになったお客さんたちからは、

「昨日はどうしたの。来たら閉まっていたけど」

と聞かれた。

「お客さんで具合の悪い人が出たので」

とだけ説明しておいた。おしゃべりのトンミくんは、お客さんたちに何か話したそうだったが、ミドリが目で牽制したこともあって、定位置でおとなしくしていた。珍しく昼過ぎにマサコがやってきた。サチエとミドリは昨晩の礼と詫びをいい、今朝のリーサおばさんの様子を話した。

「そうですか。ああいう事情だから、すぐには元気にはなれないでしょうけどねえ。何とかならないでしょうかねえ」

マサコも心配そうだった。三人の話している様子を窺いながら、トンミくんがやっ

てきて、

「マサコサン、コニチハ」

　と挨拶をした。

「トンミくん、昨日はご苦労さまでした」

「ハイ。ゴクロウサマデシタ？　ゴクロウサマッテナニ？」

「ご苦労さまねえ」

「サマガツイテイルヒトハ、エライヒト。ワタシエライデスカ」

　ミドリは笑いながら、

「偉かったですよ。トンミくんは本当に昨日は立派でした」

「リッパ、リッパ？　リッパッテナニ？」

「うーん、昨日のトンミくんは、とても人の助けになりました」

「タスケ？　アアタスケルデスネ。ハイアリガトウゴザイマシタ。タスケテワタシモウレシイデス」

　何とか意味を納得してくれたらしい。

「今日は早いですね」

　サチエが聞くと、マサコは、

「ええ、暇をもてあましてしまって。家にいるときは休む間もなく、いろいろやらなければならないことがあったし、家にいると目についたり思いついた用事をやってしまうでしょう。でもホテルだとみんなやってくれるし。お掃除の時間だから、出てきたんですけどね。私って貧乏性なんですね」

　と恥ずかしそうにしている。

「何にしますか」

「おにぎりを食べたいんです。ここのおにぎり、おいしそうだから」

　おにぎりと小耳にはさんだトンミくんは、いったい何を注文するのだろうかと、耳をそばだてている。

「鮭とおかかをお願いします」

「オー、オカカ」

　彼は小声で絶望したような声を出した。

「どうかしましたか」

　ミドリが聞くと彼は、

「イ、イイエ」

と小刻みに顔を横に振り、何も聞こえなかったふりをした。

マサコの前に運ばれたおにぎりを、両隣のテーブル席の客たちは、興味津々で眺めていた。三角のおにぎりが二つ、皿の上にミニミニピラミッドのように立っている。

「黒い紙よ」

「白に黒のコントラストの食べ物って、見たことあるかい」

「御飯の積み木みたい」

「あれが、このメニューにあるおにぎりなのか」

地元の人は口々にいったが、マサコには何といっているか全然わからなかった。

「いただきます」

おにぎりを両手に持ってぱくりと食べると、

「手で食べた。箸やフォークは使わないんだわ」

「ごらん、黒い紙は剝《む》かないで食べたよ」

「おいしそうに食べてるねえ」

「あ、中から何か出てきた」

「隠されてるのよ。あれは鮭のほぐしたものだわ」

「そこのところは、パイみたいだけどパイとは全然違うね」

「焼いていないもの。違うわよ」

などと、自分たちの食事をそっちのけにして、マサコに注目していた。マサコはうつむきかげんになって照れながら、おにぎりをもぐもぐと食べた。皿をきれいにしたマサコを、トンミくんは驚きの目で眺めていた。彼にとってはあの木くずのような、おかかのおにぎりを食べられるというのは驚異だった。

「おいしい。昔母親がにぎってくれたのと同じ味がする」

「そうですか、ありがとうございます」

サチエはそういってもらえるのがいちばんうれしかった。

「私も自分で料理を作る暇がなくて、コンビニでおにぎりを買ってきたりもしたけど、あれはただおにぎり形になっているだけで、御飯や具の味だけで、根本的な味が何もないのね。私が子供のときは、友だちの家のおにぎりを食べさせてもらうと、その家の味がしたのよ。同じ御飯と海苔だけでも、全然、違ってた。そして同じようなおにぎりでも、おいしいのとおいしくないのがあった。ああいう人の手で直接にぎるものは、その人が出るのよね。サチエさんのは、とってもおいしい」

マサコは感激したようにいった。

「ここで食べるから、そんな気がするのかもしれませんよ」

照れくさくなってサチエは謙遜した。

「いえ、そんなことはありません。私も人生五十年を生きてきて、それなりにちゃんとした判断はできます」

「私もおいしいと思います。お世辞や嘘じゃなくて。なのにいまひとつ、こちらでは人気薄なんですよね」

ミドリも横から口をはさんだ。

「ま、仕方ないいんじゃないですか。一切のアレンジなしですから」

サチエはふふっと笑った。他の客が次々に午後からの仕事に急ぐなか、マサコはぽつんと座っていた。

「することがないのも、困りものですね」

「だって、マサコさんはご両親のお世話で大変だったんですもの。少しは息抜きをしなくちゃ」

ミドリは自分は何もしないで老人ホームに世話をまかせきりなので、マサコのような人には頭が下がる。

「そう自分でも思ってたんですけど、やっぱり何かしたくなっちゃって」

「興味があることは何ですか。絵とか音楽とか」

「美術館は行きました。私、宗教とは関係ないんですけど、仏像を見るのが好きで、お寺めぐりは一人で行ったりしていたんですけど、ここにはないですものね」

「そうねえ、お寺はねえ」

サチエとミドリは顔を見合わせた。

「フィンランドの人は、森に神がいるっていっているそうです。森に行くことで神と近づくというか、神聖な場所のようですよ」

「へえ、そうですか」

ヘルシンキ周辺にも小さな森はたくさんある。

「森、森ですか」

マサコは何度もつぶやいていたが、すっくと立ち上がり、

「森に行ってきます」

と唐突に店を出ていった。

「あ……、いってらっしゃい」

サチエとミドリはあっけにとられた。

仕事を終え、アパートに戻った二人は、すぐにパジャマに着替えてくつろいだ。ミドリはサチエから教えてもらった、体をほぐすストレッチをしながら、

「このごろ、お客さんが増えましたね」

といった。

「そうですね、売り上げも開店当時の倍くらいになってますね。最近は食事をしてくれる人が増えたから」

「サチエさんががんばってきたからですよ。宣伝もしないで。口コミでお客さんが来てるっていうことですよね。いちばんいいじゃないですか。すごいですよ」

「お客さんを裏切らないようにしないといけませんね。でもおにぎりがねえ」

サチエは膝行法をしながら、残念そうにつぶやいた。

「食文化が違いますからね。どうしても受け入れられないものってありますよ。あまり気にしないほうがいいんじゃないですか」

「そうねえ、でもねえ。ほら、ミドリさん、ヨガは禁止」

ヨガっぽい体勢になると、サチエは注意した。

「すみません、つい癖が出ちゃって」

ミドリは頭をいた。

開店当初は長っ尻のトンミくんが、奥のテーブルを占領していたが、最近は客数が増えてきたので、彼も遠慮をして厨房の近くの空きスペースに移動した。そこいらへんにあった板を箱にのせて、テーブルがわりにしている。

「あれでますます、長っ尻態勢に入りましたね」

トンミくんに対して批判的だったミドリも、リーサおばさんの件から、彼には寛大な態度をとるようになり、彼のそういった行動にも苦笑いだけですませるようになった。

「ま、ボディガードと思いましょう。あまり役には立ちそうにないけど」

サチエは小声でいった。

いつになく食堂は忙しく、日が暮れたころから人が引きはじめ、ほっとひと息ついていたところ、マサコがやってきた。

「森、どうでしたか」

ミドリの言葉に彼女は、

「とてもよかったれす。心が洗われるようれした。こちらの人が神がいるといっているのもよーくわかれました」

どことなく様子がおかしい。表情もにこやかというよりも、笑い顔のままひきつっている感じである。

「マサコさん、どうかしました。しゃべり方が変じゃないですか」

「そうなのれす。しびれているみたいれ、自分の口じゃないみたいなのれす」

「何かしましたか？」

「森できのこを見つけたのれす」

「きのこ？」

「めらつきのこはあぶないから、じみなのをとったんれす。それをちょっとらけ、今朝、ホテルでカップ麵にいれて食べたら、こんらふうになってしまいました。でも食べたのはほんの少しなのれす」

「気持ち悪くないですか」

「気持ち悪くはないれす」

「吐き気とかはないですか」

「ありまへん。たら口の周りらけが少し変なのれす」

「食べた量がとても少なかったから、このくらいで済んでるのかしら」

「病院へ行ったほうがよくないですか」

「いえ、らいりょうぶらと思います」

歯医者で打った麻酔がまだ効いているといったふうであった。とにかく水分をとって、きのこの毒を体から出したほうがいいと、サチエとミドリはミネラルウォーターをすすめた。

「しぐに治ると思うんれすけど」

「人の体によくない何かがあったんですよ。無理しちゃだめですよ。ホテルで寝ていたほうがよくないですか」

「いえ、大丈夫れす」

マサコは妙に強情だった。トンミくんも、

「キノコ、タベテイイノハシッテマス。デモナカニハ、タベテイケナイノ、アリマス」

と心配そうだった。

「マサコサン、ダイジョウブラシイデス。ホントニワルイノタベタラ、シニマス」

「それはそうだけど、放っておくっていうのも、ねえ」

サチエとミドリは心配そうに見ていたが、店で話しているうちに、だんだんろれつの回らないのも元に戻ってきて、表情も収まってきた。

「あ、口の周りが楽になってきました」

マサコは口の周りの筋肉を動かした。

「ああ、本当だ。さっきは笑っているままで、固まってましたもん」

二人はほっと胸をなで下ろした。

「へたに採って食べるもんじゃないですね。私、ふだん絶対そんなことしないのに、森の中に入っていったら、つい、木の根元にあるのに手を伸ばしてしまって。他にもいかにもっていう毒々しいのもあって、それは、もちろん避けてたんですけど。どうしてこんなことをしちゃったんでしょうかねえ。荷物といいきのことといい、この国と相性が悪いんでしょうか」

「そんなことないですよ。ま、わかっているのにやっちゃうっていうのは、よくあることですからね」

「私はそういうタイプじゃないと思っていたんですけどねえ」

マサコはしきりに汗を拭いている。相当、恥ずかしかったらしい。

「でもよかったですよ。大事に至らなくて。トンミくんがいっていたみたいに、死んじゃう人もいるみたいですから」

「ソウデス。シニマス」

トンミくんはまじめな顔をした。

「死んだら困りますね」

マサコはつぶやいた。

「困りますよ。いけませんよ。きのこで死ぬなんて、悔しいじゃないですか。きのこはおいしく食べるもので、食べて死ぬものじゃないんですよ。ただきのこにはきのこの事情があって、毒を持っているのもいるから、それを人間が選別しなくちゃいけません」

サチエは諭すようにいった。

「無防備でしたね、すみません」

マサコはあやまった。

「何もなくてよかったです」

サチエは心からそう思った。

「あのう、それで、こんな愚かな私なんですけど」

マサコは口ごもった。いったいどうしたのかと二人が見ていると、

「ここで働かせてもらえませんか」

といいはじめた。見ているとお客さんもたくさん来るようになって、二人で切り盛りするのは大変そうだし、もし自分でよければ手伝わせてもらえないかというのである。

「もちろんお給料なんかいりません。言葉もできないし。性分からいって、暇をもてあましているより、何かしているほうが楽なんです。皿洗いでも何でもします。でも……ご迷惑だったら、おとなしく引き下がります」

サチエとミドリは顔を見合わせた。たしかに二人で切り盛りするのは、少し辛くはなってきていた。お皿を洗ってもらうだけでもありがたい。

「あのう、下働きみたいなことしかないですけど、いいですか」

「もちろんです。それで十分です。よろしくお願いします。ホテルの部屋にいると息が詰まるし、外に出ても退屈してきちゃって。国内のあちらこちらを見て回ればいいんでしょうけど、そういう気にもなれなくて」

「いいですよ。どうぞいらしてください」

「マサコサン、ハタラク。ソレハイイデス。トテモイイデス」

トンミくんもどういうわけか喜んでいた。

翌日からかもめ食堂は三人になった。「こども食堂」偵察隊は、

「また従業員が増えたわ。最近、繁盛しているものね。新しいあの人、お客で来ているのを見かけたことがあるわ。あの子供とは無関係みたいだけど」

「ちょっと、子供じゃないのよ。若く見えるけど、子供じゃないんですって。いつもいるあの男の子から聞いたわ」

「あら、そうだったの。小柄でかわいらしいからてっきり子供だと……」

「なんでも三十八歳なんですって」

「ええっ、本当。東洋人は若く見えるわねえ。二十歳は若く見えるわ。うらやましい

わ」

地元の人たちに、だんだんかもめ食堂の実体は広まっていき、誰も「こども食堂」とは呼ばなくなっていた。

ある日、見慣れない初老の男性がやってきた。男性一人でやってくる人もいるけれども、だいたい勤め人といった雰囲気であるが、彼は身なりもあまりよくない。それでも三人は他の客と同じように彼に接した。

「コーヒーを」

しゃがれた声で彼は注文した。

「はい」

ミドリは彼にもおにぎりを勧めたが、きっぱりと断られた。

「人の目を見ないんです。ちょっとアルコール中毒っぽくも見えるんですけど。手が震えていて」

厨房のサチエに彼女は小声で報告した。

「え、そうなの」

背伸びをして彼のほうを見た。背中を丸めて着ているシャツやズボンのポケットの中に次々に手を突っ込んで、何かを探している様子だ。いったい何を探しているのだろうかと見ていても、結局ポケットからは何も出てこず、彼は眠ってしまったように背中を丸めて、じっとそこに座っていた。

「どうぞ」

コーヒーを目の前に置いても、何もいわず、そのまま黙って座っていたが、しばらくしてやっと飲みはじめた。

そこへまた見るからにいわくありげな風体の、中年の男がやってきた。ミドリが近づくと、

「おれは何もいらないよ」

といって、初老の男性の横に座った。それでも初老の男性は、彼のほうを見ようとはしなかった。

「おい、マッティ、元気だったか」

男は男性の肩を叩いた。

「いや……」

マッティと呼ばれた男性は口が重く、気乗りがしない様子でコーヒーを飲んでいる。

男はポケットから煙草を取り出して吸いはじめた。ミドリがあわてて、禁煙だということ、

「チッ」

と舌打ちをして、怒ったように床に煙草を捨てて、靴の裏で押しつぶした。

「もう、まとわりつかないでくれよ」

マッティは低い声でいった。

「何でだよ、急に。おかしいじゃないか、あれだけ一緒に仕事をやってきてさ」

「もう足を洗いたいんだ」

「なぜ、どうして」

「疲れたんだよ。酒もやめる。仕事もだ。普通の生活をしたいんだよ」

「普通の生活だって。どこにそんなもんがあるんだ。おれたちとは全く関係ないんだぜ。そんななかであんたもおれも、二十年、やってきたんだ。あれだけ盗みをやって捕まらないのはおれたちの才能さ」

「だから、疲れたっていってるだろう。引退したいんだよ。もうあんなことをして生きていくのはごめんだ」

「たしかに仕事はしてないようだな」

男はマッティの姿を見て、ふふんと小馬鹿にしたように笑った。

「娘に子供が生まれるんだ」

「男を追いかけていった娘か」

「ああ、それがこっちに帰ってくる。男に捨てられたっていうわけだ。娘二人はおれがこんなことをしているなんて知らない。工場で働いていると思ってるんだ。生まれてくる子供のじいさんが、泥棒だなんておれには耐えられないんだ」

ぼそぼそと話すマッティを横目で見ながら、男は、鼻でせせら笑っている。

「お涙ちょうだいか。そういうセンチメンタリズムできたか」

「おれにも人間らしい生活をさせてくれよ。今やめないと、やめるときなんかないんだ。泥棒のままで死ぬなんて嫌なんだよ」

何をいっても男は小馬鹿にした態度を崩さなかった。

「じゃあ、どうするんだ。仕事をやめたら、あんた失業者だろ。就職口だってないさ。どうやって食っていくんだ。泥棒をやめて普通の生活をしたいっていって、待っているのは失業者っていうご身分だ。あんたの望んでいる普通の生活なんか、それじゃあできないぞ」

マッティは黙った。

「娘が帰ってくるんだろ。孫のミルク代だっているだろうが。どうするんだよ。今までと同じように、工場に勤めているっていっときゃいいじゃないか。それで丸くおさまるだろう。仕事をやめてるらしいが、あんたの風体を見たら、それほど懐が温かいとは思えないしな」

マッティはテーブルの上に右手の拳をのせて、指を開いたり閉じたりしている。男は目の前のコーヒーカップを持ち上げて、一口飲み、顔を寄せて耳打ちした。

「あんた、いいところを見つけたじゃないか。ここにいるのは女三人だ。一人はでっかいが、あとの二人はちっこいから、ちょっと脅せば金を取るのは簡単さ。こんな金を取ってくれといわんばかりの店を前にして、よく仕事をやめるなんていえるな。あんたの力にちょうどいい場所だよ。ここはおれが出ていくような、根性をいれて入る盗みの場所じゃない」

にやにや笑いながら、たきつける男をじろりとにらんで、マッティは、

「いいから帰れ。おれのことは放っておいてくれ」

と叫び、手で追い払った。もちろん何を話していたかは聞き取れず、そちらのほうを見ないようにしていた女三人と、トンミくんは、びくっとして彼らのほうを見た。

「わかったよ。でもあんたもよーく考えな。理想と現実は違うんだよ。どれがいちばん自分にいいかって。また連絡するよ」

男はサチエたちに調子よく手を挙げて、店を出ていった。マッティは飲み残しのコーヒーを背中を丸めて、いつまでもすすっていた。

「どうしたんでしょうか」

マサコは心配そうにサチエに聞いた。

「仕事がどうのこうのっていってたみたいだけど。ま、お店をやっていると、いろいろな人が来ますから」

彼は服のポケットを、あちらこちらさぐって、コーヒー代を払って帰っていった。

「恥ずかしいですっ」

厨房の中でミドリは直立不動になった。

「どうしたんですか」

マサコがまた心配そうに聞いた。

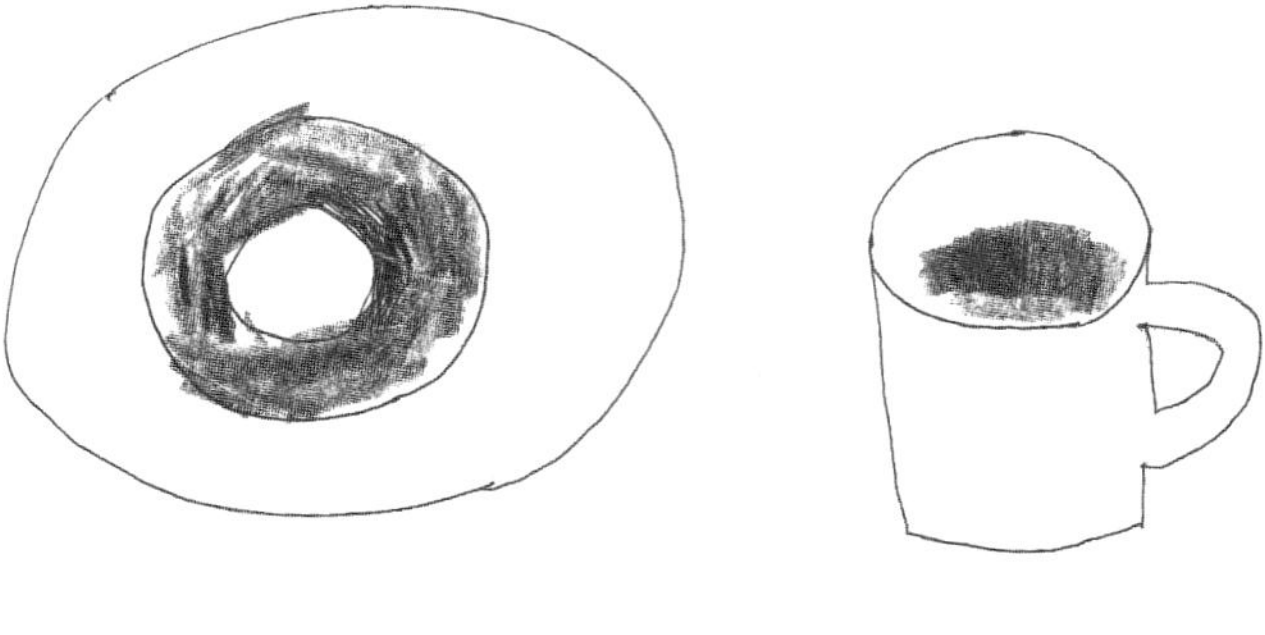

「さっきの男性のお客さんを、もしかしたら無銭飲食をするんじゃないかと疑ってしまいました。小銭を集めて払ってくれたのを見て、きっと生活が豊かでもないのに、うちの店に来てくれたんだなと思ったら、疑った自分が人として情けなくて恥ずかしくて、仕方ありませんっ」

ミドリは右腕を真一文字に目に当てて泣きはじめた。

「私もちょっと思いましたよ」

皿洗いをしていたマサコがやってきて、だらんと垂らしたミドリの左腕をさすった。

「でもちゃんと払ってくださったんだから、よかったじゃないですか」

ミドリはしばらくしゃくりあげていたが、

「自分に気合いを入れ直します」

といい、

「うっす」

両腕を曲げて気合いのポーズをしたが、どこか軟弱だった。

「それはこうです」

さすがにサチエは決まっていた。

「重ね重ね、申し訳ありません」

ミドリは心から悲しそうな顔をした。

「さ、あと少しですから、気合いをいれましょう」

三人が彼のことをしばし忘れるくらい、客足は途絶えなかった。
二、三日して、リーサおばさんが前よりは明るいけれど、まだやっぱり暗い顔をしてやってきた。髪の毛もばさばさで、手入れが行き届いていない。
「体の具合はどうですか」

「ありがとう。何とか起きられるようにはなったけど。面白くはないわね」

カウンターから厨房の中にいるマサコの顔を見て、

「あら、あなた、この間はお客さんだったのにどうしたの」

と不思議そうな顔をした。

「お手伝いをしてもらっています」

とサチエがいうと、

「ああ、それはいいことね。とってもいいことだわ」

と何度もうなずいた。

「コーヒーとそれとシナモンロールに、たっぷりと生クリームをかけてもらえるかしら」

「はい、わかりました」

サチエはパン皿の上に生クリームをたっぷりとのせたが、それを見たリーサおばさんは、

「もっといれて」

と追加させた。

「おいしいわね。あなたが作ったの」

「はい。うちの店のいちばん人気なんです」

「でしょうね。この間持ってきてくれたパンもとてもおいしかったけど、これはその上をいくわ」

おばさんはシナモンロールにたっぷりと生クリームをのせて食べている。それでもどこか満足していない表情だ。

「ああ、おいしかった」

ちょっとだけ笑ってくれたので、三人はほっとした。そこへトンミくんもやってき

て、挨拶をした。するとおばさんは、

「あなたとどこで会ったかしら」

ときょとんとした。

「この前のとき、彼がリーサさんを家まで運んでくれたんですよ」

サチエがそういうと、

「あら、そうだったの。それは失礼」

とあやまった。忘れ去られていたトンミくんは、泣き笑いの表情で、悲しげにお決まりの席に戻っていった。相変わらず客足は途切れない。かつての「こども食堂」偵察隊はみな常連になっていた。

「あのね、ちょっと聞きたいことがあるの」

リーサおばさんは、カウンターから少し身をのりだした。

「はい、なんでしょうか」

サチエは調理の手を休めて返事をした。

「日本では魔術はあるの」

「魔術ですか」

「そう。人を呪うようなそういう魔術よ」

「そうですねえ。わら人形っていうのがありますけど」

「それはどういうものかしら」

「わらで人の形を作って、それを呪いたい人に見立てて、太くて長い釘を打ち込むんです。昔の呪術ですけれど」

「ふーん、なるほど」

リーサおばさんは興味深げだった。

「でもそれは、日本人同士だから効くんでしょう。フィンランド人には効かないわよね」

「うーん。したことがないのでわかりませんが。でもそういうことをした人には、それ以上の仕返しがあったりするようです」

「まあ、どうしてかしら。呪われるほうが悪いんじゃないの」

「自分が悪いのに、逆恨みで人を呪おうとすると、神様がお仕置きをするらしいですよ」

「それだったら私は大丈夫だわ。悪いのはハゲだもの」

リーサおばさんはすましてコーヒーを飲んでいた。

「お勤めはどうなさったんですか」

「まだ休んでいるのよ。会社にも行く気にならなくてね」

「会社に行ったほうが気が紛れるっていうことはないですか」

「ないわ」

きっぱりと彼女はいった。

「ハゲとは会社で知り合ったんですもの。若いころ、ここの倉庫の隅で人目を盗んでキスをしたとか、一緒にベンチに座って話をしたとか、そういうことばかりを思いだすのよ。そのたびに、手にしているサンプルやデザイン画を全部、放り投げたくなる」

彼女は物を空に向かって放り投げる仕草をした。それでは気の紛れようもあるまい。

「もう私のことはおかまいなく。お店が込んできたから仕事をして」

おばさんはバッグの中から新聞を取り出して読みはじめた。

一時間半ほど店で時間をつぶしたおばさんは、

「また来るわ」

といって帰っていった。

「もうちょっと時間がかかりそうですねえ」

その背中を見送りながら、ミドリがつぶやいた。

「でも、出かける場所ができたのはいいことですよ。それが『かもめ食堂』だっていうのも、うれしいじゃないですか」

サチエは客足が途絶えている間に、パンの生地をこねながらいった。

この間と同じような時間帯に、無銭飲食をするのではと疑ったマッティがやってきて、カウンター席に座った。

「あ」

ミドリは小さく声を上げた。うしろめたいところがあるので、ミドリは異常に腰が低くなり、それを見たマサコはぷっと噴き出した。

「コーヒー」

と注文すると彼は、

「あのねえ」

とサチエたちに話しかけはじめた。酔っているらしい。

「おれには娘が二人いるんだよ。一人は前の女房との子で三十になる。二人目は二番目の女房の子で二十五だ。二人ともフィンランドには刺激がないとかいって、勝手に外国に行ってしまった。上の子のほうはこっちで知り合った、アメリカに住んでいる男の後を追っていって子供ができた。でも結局、男は遊びだったんだろう。もうすぐお腹が大きいまま、帰ってくるっていうんだ。もう一人のほうも、店で働いているとはいっていたが、体の具合を悪くしたと手紙をよこしてなあ。まあ、父親としては心配だよ。その娘たちがなあ、きみたちにそっくりなんだ」

そういって彼はサチエとミドリを指差した。

「えっ、私たちがですか」

二人は同時に右手の人差し指で自分の顔を指差した。

「そうだ」

彼は深く何度もうなずいた。

「きみたちが元気で明るく働いているのを見て、うちの娘たちも、同じようにいてくれればいいなと思っていたんだ」

その言葉を聞いたミドリは、すでに目がうるうるしていた。彼はまたポケットをさぐりまくって、かき集めた小銭でコーヒー代を支払って帰っていった。

「ありがたいことですねえ」

彼の言葉を何度も反芻《はんすう》しては、ミドリは涙腺をゆるめている。

「こちらは外国人なのに、娘さんに似ているなんて、うれしいですよね」

マサコも感無量だった。マッティはサチエたちと話したことで、この店には迷惑をかけないという意思表示をしたつもりだった。本気で足を洗おうとしていた。しかし仲間の男は、虎視《こし》眈々《たんたん》と「かもめ食堂」を狙っていた。

「すみません、頭が痛くって」

朝、ミドリはパジャマ姿の爆発した頭で、サチエにあやまった。

「疲れが溜まったんですよ。これまで一生懸命に働いてもらったし。疲れが取れるまで、ゆっくり休んでください」

サチエは一人で買い出しに出かけた。客も増えてきて、まとまった量の野菜や肉は、店まで届けてくれるようになったので、楽になった。市場に行くのは何か新鮮ないい出物がないかを見に行くためである。

「あら、久しぶり」

こちらに来た当初、ネコを散歩させていた老夫婦が歩いていた。ネコも彼らも健在だった。歩き方もネコとの距離もすべて同じだ。ころっころのかもめは、ネコが歩いていても紐《ひも》がついているのがわかるのか、平気で前を横切っている。

（みんな元気でよかった）

と、サチエは、市場のおばさんに勧められた、ノッコネン（イラクサ）とブルーベリーを買って、店に向かった。待ちかまえるトンミくんと、無料コーヒーも全く変わりがない。マサコと彼は、ミドリが具合が悪くて休みだと聞いて、心配した。

「熱もないし、疲れが溜まっただけだと思いますよ。このノッコネンでスープを作ると、元気になるんですって」

「ミドリさんがいないと、ずいぶん壁が広くなったような気がします」

そうマサコがいうと、トンミくんは、

「アハハハ」

と妙にうれしそうに笑っていた。

たしかに最近は来てくれるお客さんも多くなって、一息つく時間も少なくなった。サチエが日がな一日、グラスを磨いたり、店を掃除したりしていたことが信じられない忙しさである。その夜も一人足りないこともあって、体がずーっとくるくる回り続けているような忙しさだった。トンミくんは授業があるといって、午後の早い時間に店を出た。

「お疲れさまでした」

二人は店を閉めてから、ふたつ残った甘いパンを食べてひと心地ついた。

「それでは帰りますか」

二人は外に出て、サチエが鍵を閉め終わり、マサコが道路の向かい側の店のウインドーを眺めていると、闇の中からサチエを後ろから羽交い締めにする輩《やから》が映った。

「騒ぐな」

サチエは息が止まりそうになった。

「かわいいお嬢ちゃん、金を出しな」

サチエはもがいた。男はにやにや笑いながらバッグに手を伸ばした。その瞬間、ただならぬ状況に気がついたマサコが、

「うわあああああ」

と闇をつんざくようなものすごい叫び声を出した。そして、

「どろぼーっ、どろぼーっ」

と信じられないほどの大声で怒鳴り、道路に転がっていた木の棒をふり回して走ってきた。羽交い締めにされたサチエは、彼のみぞおちを肘で突き、ひるんだところを腕をとって肩にのせ、

「たあっ！」

というかけ声もろとも、相手の手首の関節をねじるようにして頽《くずお》れさせ、そこを回り込んで、右腕の手首と肘の関節をがっちりと決めて、地べたにねじ伏せた。

「ウー」

彼はうめいたまま、道路の上に突っ伏している。マサコが興奮して倒れた男を棒で叩こうとするのを、サチエは必死でやめさせた。マサコの声を聞いた近所の人たちが、何事かと集まってきた。

「襲われたんですって。かわいそうに、大丈夫だった？　まあ、これを見たら大丈夫っていうのはわかるけど……」

みなちっこいサチエの力に驚いていた。

「父の教えがはじめて役に立ちましたっ」

サチエも鼻息荒く、満足そうだった。

窃盗常習犯の男は警察にすぐ引き渡され、サチエは新聞の取材を受け、写真入りで掲載された。小柄でかわいいサチエが、男を投げ飛ばしたというので、それだけでも大騒ぎである。マサコの大声も話題になった。なかには誤解してサチエを、

「日本の女相撲のチャンピオン」

と紹介したものもあって、サチエとマサコは驚いた。自分が休んでいる間に二人が襲われて、ミドリは、

「でかい私がその場にいれば、こんなことにはならなかったかもしれないのに。でも、いたとしても何の技もないので、役に立たなかったかもしれませんけど、威圧感は与えられたと思います」

と居合わせなかったことを、悔やんでいた。

「あんなことには遭わないほうがいいですよ」

サチエは慰めた。

新聞沙汰になって、サチエは一帯の有名人だった。市場に行けば、

「すごいね、お手柄だ」

と褒められる。トンミくんはものすごく感激して、

「この人たちは、何かやってくれる人たちだと思っていた。自分は彼女たちとずっと昔からの友だちなんだ」

と「かもめ食堂」の客に自慢して、うるさがられていた。サチエは地元の合気道の道場に呼ばれた。彼女の技を見たいという。その前に初心者たちの様子を見学したが、前の受け身がうまくいかずに、顔面を畳の上に打ち付けて鼻血を出したり、前方回転受け身のときに、回ったはいいが起きあがれなかったり、父の道場の様子を思い出した。サチエがふりかぶって相手を投げる「双手持ち前方呼吸投げ」や手首をつかんできた相手の腕をねじる「連行手首固め」といった技を見せると、みな、

「オーッ」

と声を上げた。彼らも「かもめ食堂」のお客さんになった。

サチエが有名人になって、ますます忙しくなって、てんてこ舞いで働いている三人の耳に、

「コスケンコルヴァ！」

とものすごい大きな声が聞こえてきた。びっくりして、声がしたドアのほうを見る

と、そこにはリーサおばさんが、かわいい子犬を抱いて立っていた。

「ダハハハー」

おばさんは上機嫌である。美容院に行ったのか、髪の毛もきれいにセットされ、化粧もしてはればれとした顔をしている。この人もちゃんとしたらそれなりにきれいな人だったんだなと、三人は気がついた。

「新聞で読んだわ。すばらしいわね、たいしたものだわ。女性二人で泥棒にたちむかうなんて、なんて勇気があって立派なんでしょう。あなたたちのような人たちと知り合えたなんて、本当にうれしいわ。私、感激したのよ」

といいながら、サチエとマサコに抱きついた。

「さあ、どうぞ、どうぞ」

ミドリがあいにく、そこしか空いていなかったカウンターの席を勧めると、彼女は、

「ルースちゃん。お座りちまちょうね」

といいながら子犬を抱っこした。

「私、待つことにしたの」

リーサおばさんは明るくいった。

「待つっていっても、嘆き悲しんでいる悲劇のヒロインじゃないのよ。離婚したければしてやるし、戻ってきたければ受け入れてやる。ハゲと知り合ったときからのことを、ずっと考えていたの。私はいつも主導権を握ってたの。それを忘れてたわ。それをこんなことで放棄するわけにはいかないって気がついたの。ふさぎ込んでいても何もはじまらないし。仕事にも行ってるわ。街を歩いていたら、この子と目が合って。家に連れて帰ってきたのよ。今は、ハゲ、好きなようにしろっていう感じよ」

そういって満足そうに笑った。

「それはよかったです」

サチエたちはほっとした。リーサおばさんはコーヒーといつもの生クリームたっぷりのシナモンロールを食べて、

「ささ、ルースちゃん、おうちに帰りまちょう」

と子犬を抱っこして楽しそうに帰っていった。

新聞を見て来た男性客は、サチエに、

「技を見せてくれないか」

という。まさかそのまま店でするわけにはいかないので、手加減して初歩の護身術

を見せると、

「す、すごい。そしてこんなに痛い」

と彼らは小柄なサチエにはダメージがなく、自分に涙が出るくらいのお返しがあるのに驚いていた。

「いいですねえ、強い女の人って」

マサコは皿洗いをしながら、空手の突きのポーズをした。

「マサコさんだって、十分強かったじゃないですか」

ミドリはマサコの肩を叩いた。

「私はただ大声でわめいただけですから。なんの技もないです」

「いえ、いざとなるとね、声すらも出ないんですよ。よくあれだけの大声が出たものですよ」

サチエは感心していった。

「そうですか」

マサコはちょっと顔を赤らめた。

夜になってマッティがやってきた。いつものように酒は飲んでいるようだが、にこにこしている。

「娘たちが帰ってきたんだ。上だけじゃなくて下の子も」

ととてもうれしそうだ。

「それはよかったですね」

といいながら、三人は、サチエとミドリに似ている娘さんたちは、いったいどういう人たちなのかと、期待した。二人の女性が店に入ってきた。一人はお腹が大きく、もう一人は無表情だ。二人とも、

「いったいどこが」

と首をかしげたくなるくらい、全然、サチエにもミドリにも似ていなかった。

「ほら、よく似ているだろう」

四人をかわるがわる見ながら、うれしそうに繰り返すマッティを、無表情の娘二人が、ひきずるようにして連れて帰っていった。

「でも、よかったですよね」

ミドリがいった。

「よかった、よかった」

サチエとマサコはうなずいて、三人の後ろ姿を見送った。

リーサおばさんは時間があると、「かもめ食堂」に立ち寄ってくれるようになった。

「まだ、ハゲは帰ってこないわ」

といいながらも、ルースを抱っこして、明るくコーヒーと生クリームたっぷりのシナモンロールを食べていく。あるとき、ミドリが様子を見ながらおにぎりを勧めると、

「どうしてそんなにそれを勧めるの」

と聞かれた。

「悪いけど、前に作ってもらったのは、捨ててしまったの」

サチエは、おにぎりは手でにぎるから、作った人の気持ちがこもっているのだと話した。

「気持ちのない人がただにぎるのと、気持ちがある人が心をこめてにぎるのと、味が違うんです」

リーサおばさんは真剣に聞いていた。

「そう。そんなにいうんだったら、食べてみようかしら」

彼女がメニューを眺めていると、トンミくんが、

「おかかはやめたほうがいいですよ」

と小声でアドバイスした。これも真剣に聞いていた。

「じゃあ、鮭にするわ。でも小さくしてね」

サチエは心をこめて、小さなかわいい鮭のおにぎりを作った。

「どうぞ」

目の前のおにぎりを眺めながら、リーサおばさんは、

「いつ見ても、この黒い紙だけは不思議だわ」

とつぶやいていたが、ルースはおにぎりに興味津々だった。おばさんはおにぎりを一口食べた。三人はじっと彼女を見つめた。

「そうね、おいしい……ような気がする。うん、おいしいわ。あなたが私のことを思って作ってくれたんですものね」

ルースは腰を振りながら、ちょうだいちょうだいといっている。

「あら、食べたいの」

口元に持っていくと、あっという間にぱくぱくと食べた。

「ルースにも評判がいいみたいよ」

おばさんはにっこり笑った。三人はほっとした。トンミくんもついでにほっとした顔をしていた。

「かもめ食堂」はずっと繁盛し続けた。マサコはもしかしたら新聞沙汰の後は、潮が引くように人が来なくなるのではと心配していたが、そのようなこともなく、日々、

「ああ、働いた」

といえるほどの充実感があった。マサコがフィンランドにやってきてから、二ヶ月が過ぎていた。サチエはともかく、ミドリやマサコとは、これからどうするかという話をしたことがなかった。休みの日、三人でサウナに入っていて、ふとそんな話題になった。

「私は帰らなくちゃいけないんです」

とマサコはいった。

「え、そうですか」

ミドリは驚いたようにいった。彼女はずっとここにいるつもりだった。

「『かもめ食堂』はとても楽しいし、やりがいもあるし、サチエさんもミドリさんも、とってもいい方だし。ずっといたいんですけど。そういうわけにはいかないんです」

「だって、弟さんにはひどいことをされたんでしょう」

「ええ。でもここに来ていろいろと考えてみたら、日本に帰っても住むところもあるし、海外に行けるような金銭的な余裕もあるんだから、恵まれていると思えるようになりました。フィンランドのニュースを見て、お気楽そうだなって思ったんですけど、私は経験しなかったけれど、自然環境だって結構きついんじゃないかなあ。そのなかでじっと耐えていたものが、『嫁背負い競走』とか『エアーギター選手権』とか、『サウナ我慢大会』で爆発するんですよね。いつもいつもそんなことをやってる人たちじゃないんです。彼らにはじっと体に溜めていたエネルギーがあるんですよね。フィンランドの人って、ふだんの生活はとても質素で、いいなって思いました。フィンランドに来たのが、私にとっては『嫁背負い競走』みたいなものです」

マサコは笑った。

「帰ったらどうします？」

サチエとしては、自分は年下だが、帰ってからの彼女が心配だった。

「どうしましょうねえ。この歳じゃ就職なんてできないし。スーパーマーケットのパートにでも行きましょうか。こちらに来る前にちょっと見たんですけど、うちの近所のスーパーマーケットだと、五十三歳まで大丈夫だったんですよ」

それを聞いたミドリは、

「マサコさん、冷凍食品売り場っていわれたら、何があってもやめるんですよ」

と真顔で忠告した。

「え、どうしてですか」

ミドリは小耳にはさんだパートのおばさんたちの話をした。

「そうですか、そんな事情が。やはりみんなが嫌がるような場所に配属されるかもしれませんねえ」

「いえ、それはわかりませんけど。そういうところもあるみたいですよ。すみません、不安になりましたか」

「いいえ、大丈夫ですよ。不安っていったらみんな不安ですけど、まあ、先がどうなるかはわかりませんけど、自分さえちゃんとしていれば、何とかなりますよ。そのうえ私は親が遺してくれたものがあるから、幸せだと感謝しています」

「マサコさんが帰るとなったら、さびしくなりますね」

サチエはしみじみといった。ミドリも悲しそうな顔でうなずいている。

「私はサチエさんやミドリさんと違って、歳も歳だし。なるべく早い時期に戻ります」

「そうですか」

サチエも感無量といった思いだった。リーサおばさんを家に運んだこと。ちょっといけないきのこを食べちゃったこと。てきぱきと皿洗いをしてくれたことなど、いろいろと頭に浮かんでくる。でも彼女の人生は彼女自身が決めることだから、自分は無理強いできない。

「ホテルに帰って、もう一度、考えます。帰ると決まったら、ちゃんとご挨拶にうかがいますから」

三人はサウナに入って、体はとてもすっきりしたけれども、どこか心の中はすっきりせず、もの悲しくなっていた。

「マサコさん、どうしますかねえ」

アパートに帰ったミドリは、しきりに気にしていた。

「本人にしかわからないわねえ。どちらにせよ、私たち三人でいた間は、とても楽しかったもの」

「それはそうです。楽しかったから。ちょっと……」

ミドリはぐっとくちびるをかみしめた。

「どちらにせよ、私たちはマサコさんが決めたことを喜んであげましょう」

サチエは膝行法をはじめた。

翌日は店を開けてもマサコは来なかった。やっぱり荷物をまとめているのかもしれない。サチエとミドリはマサコの話題は避けて、いつになく無口になっていた。

「コニチハー」

トンミくんが来ても、いまひとつ愛想よくできない。

「マサコサンハ、ドウシマシタカ」

彼は無邪気に聞いてきた。二人がぐっと言葉に詰まっていると、ドアが静かに開いた。そこにはマサコがちんまりと立っていた。

「すみません。ご迷惑でしょうけど、また来ることにしちゃいました」

照れくさそうに笑った。

「そうですよ、そうしましょうよ。それがいいですよ」

思わずミドリが走り寄って、マサコの手を両手で握った。

「ソウデス。ソレガイイデス」

トンミくんもわけがわからないまま、口をはさんできた。かつての偵察隊のおばさんたちが、

「いいお天気だねえ」

と口々にいいながらやってくる。

「今日も一日、よろしくお願いします！」

明るいサチエの声に、ミドリとマサコは位置につき、「かもめ食堂」の仕事モードに入っていった。

この作品は二〇〇六年一月小社より刊行されたものです。

幻冬舎文庫

●好評既刊
群ようこ
音の細道

ビートルズに北島三郎、津軽三味線にギリシャ歌謡、ネコバカの歌に涙が出る歌……。ロック少女だった頃から、小唄を精進中の今にいたるまで、「音」にまつわる、するどく笑える名エッセイ。

●好評既刊
群ようこ
おかめなふたり

ある雨の夜やってきたおかめ顔の猫「しい」ちゃんは、臆病で甘えん坊、そして暴れん坊の女王様。彼女のお陰で静かな暮らしは一変し……。作家と猫の愛情生活を綴る、笑えてジンとくるエッセイ。

●好評既刊
群ようこ
またたび東方見聞録

女四人で連日四十度の酷暑のタイ、編集者たちと深〜い上海、母親孝行京都旅行で呉服の「踊り買い」……。暑くて、美味くて、妖しくて、深い。いろんなアジアてんこもりの、紀行エッセイ。

●好評既刊
群ようこ
東洋ごろごろ膝栗毛

食中毒に温泉大開脚、大人の旅を満喫した台湾旅行。アリ、サソリ、象の鼻に熊の前足……中国四大料理を制覇した北京旅行。食、習慣、風俗、全てにびっくりのアジア紀行エッセイ。

●好評既刊
群ようこ
おやじ丼

勝手な人、ケチな人、スケベな人、やる気のない人etc. 気づくと周りに増殖中の大迷惑なおやじたち。むかつくけど、どこか笑えてちょっと可愛いその生態を、愛情込めて描く爆笑小説。

幻冬舎文庫

●最新刊
下北サンデーズ
石田衣良

弱小劇団「下北サンデーズ」の門を叩いた里中ゆいか。情熱的かつ変態的な世界に圧倒されつつも、女優としての才能を開花させていく。舞台に夢を懸け奮闘する男女を描く青春グラフィティ！

●最新刊
合併人事
二十九歳の憂鬱
江上　剛

ミズナミ銀行に勤める日未子は三十歳を前に揺れていた。仕事も恋も中途半端な自分。一方、社内では男たちが泥沼の権力闘争を繰り広げる。そして起きた悲劇とは？　組織の闇を描いた企業小説。

●最新刊
「心の病」なんかない。
大野　裕

うつ、不安、無気力、孤立感にもう苦しまない！誰もがぶつかる心のピンチへの対処法をベテラン精神科医が親身にアドバイス。つらい気持ちが楽になるモノの見方・考え方が身につく一冊。

●最新刊
ララピポ
奥田英朗

みんな、しあわせなのだろうか。「考えるだけ無駄か。どの道人生は続いていくのだ。明日も、あさっても」。格差社会をも笑い飛ばすダメ人間たちの日常を活写する、悲喜交々の傑作群像長篇。

●最新刊
南九州温泉めぐりといろいろ体験
銀色夏生

近所の気軽な立ち寄り温泉から秘湯。初心者向けの山から本格的な縦走コース。よさそうな整体からハードな整骨。ふらりと気の向くまま、いろんなところに行ってみました。体験エッセイ。

幻冬舎文庫

●最新刊
陰日向に咲く
劇団ひとり

ホームレスを夢見る会社員。売れないアイドルを一途に応援する青年など、陽のあたらない場所を歩く人々の人生をユーモア溢れる筆致で描き、高い評価を獲得した感動の小説デヴュー作。

●最新刊
私を見つけて
小手鞠るい

不倫関係を続けていた麻子は、自分自身を愛せない。彼女を前向きに変えたのはアフリカ系アメリカ人のマイクだった（「願いごと」）。恋愛や結婚の幸せとは何か、切なく描く五篇。

●最新刊
酔いどれ小籐次留書　薫風鯉幟《くんぷうこいのぼり》
佐伯泰英

百姓舟を営むうづが、商いに来ないことを案じる小籐次が聞きつけた彼女の縁談。だが一見、良縁の嫁入り話には、思いもよらぬ謀略が潜んでいた――。大人気時代小説シリーズ、圧巻の第十弾！

●最新刊
超意識
あなたの願いを叶える力
坂本政道

ベストセラー『死後体験』シリーズの著者が説く究極の成功法則。願望実現に必要なのが、自分を超え、宇宙とつながった存在である「超意識」。自分の意識のコントロール次第で、願いは叶う！

●最新刊
GOOD LUCK Mariage
桜井亜美

夫の剣心との恋愛感情が薄れることに大きな不安を感じている泉水。結婚しても恋をして、いつもときめきを感じていたい。そんな泉水の夢は叶うのか？　新しいマリッジライフを描いた恋愛小説。

幻冬舎文庫

●最新刊
爆笑問題の戦争論
爆笑問題の日本史原論
爆笑問題

日本はなぜ戦争をしたのか？　戦争とは何か？　その謎に太田光が挑んだ！　日本が起こし、あるいは巻き込まれた、戦争の歴史を、日清戦争から精妙に追って太平洋戦争が終わるまで、完全解説。

●最新刊
死小説
福澤徹三

入院先のベッドの上で非業の死を遂げた男の「憎悪の転生」、小中学生の男女が離れにこもる暗い遊びのエロスと恐怖を描く「夜伽」など全五篇。真夏の闇を切り裂く、傑作怪談・ホラー小説集。

●最新刊
内側から見た自衛隊
松島悠佐

演習場が狭いため、わざわざ飛ばない弾を開発。料金所を通れず戦車は高速道路を走れない。阪神・淡路大震災の最高指揮官として災害救助を指揮した著者が明かす、笑うに笑えない自衛隊の真実。

●最新刊
海に沈む太陽(上)(下)
梁石日《ヤン・ソギル》

イラストレーターになるという夢を抱き渡米した曾我輝雅を待っていたのは、人種差別と苛酷な環境だった。画家・黒田征太郎の青春時代をもとに、自分を信じて生き抜くことの尊さを描いた大長編。

●最新刊
ひとかげ
よしもとばなな

ミステリアスな気功師のとかげと、児童専門の心のケアをするクリニックで働く私。幸福にすごすべき時代に惨劇に遭い、叫びをあげ続けるふたりの魂が希望をつかむまでを描く感動作！

かもめ食《しょく》堂《どう》

群《むれ》ようこ

平成20年8月10日　初版発行

発行者――見城徹
発行所――株式会社幻冬舎
〒151-0051東京都渋谷区千駄ヶ谷4-9-7
電話　03(5411)6222(営業)
　　　03(5411)6211(編集)
振替00120-8-767643
印刷・製本―中央精版印刷株式会社
装丁者――高橋雅之

万一、落丁乱丁のある場合は送料小社負担で
お取替致します。小社宛にお送り下さい。
定価はカバーに表示してあります。

幻冬舎文庫

ISBN978-4-344-41182-1　C0193　む-2-12